編集 中央法規管理栄養士受験対策研究会

国家試験

管理栄養士 2025

よく出るワード別 一問一答

出るトコ徹底分析

中央法規

はじめに

私たちが管理栄養士国家試験の合格をめざしたのには、「もっと専門性を高めたい」「仕事の幅を広げたい」「再就職に向けて」など、スキルアップ・キャリアアップへの思いがありました。試験まで1か月を切った頃は、時間のやり繰りや最後の追い込みで必死だったのを覚えています。勉強がきつかった分、合格したときの喜びは、ひとしおでした。

既卒の方のなかには「受験資格はあるけれど、忙しくて」と、受験を迷ったり先延ばしにしている方が多くいらっしゃいます。ブランクが長い方のほうが勉強内容・環境ともに不利であることは確かです。しかし、そのために受験をあきらめたり、及び腰になってほしくないと、かねてより感じていました。また、現役の学生の方は既卒の方に比べて勉強時間はありますが、できれば勉強以外の時間も充実させたいのは当然のこと。効率よく時間を使いたい思いは誰しも同じです。

どんな参考書を使えば、時間のない受験者が効率よく勉強できるか。自分たちの経験も踏まえ、そんな思いから本書をつくりました。

本書は、2020年～2024年の国家試験過去5年5回分の「出たトコ」から出題実績を分析し、よく出るワードごとにランク分けして、さらに選択肢レベルで厳選した「出るトコ」を一問一答形式にしています。日々の隙間時間にすぐに開いていただけるよう、携帯可能なハンディサイズにしました。国家試験の過去問をベースとしながらも参考書の面も併せ持ちますので、自由にカスタマイズしてください。よく間違えてしまう内容や重要ポイントなどを余白に書き込んで作り上げていくオリジナル参考書として、本書が孤独な闘いとなりがちな受験勉強の最強の相棒となればうれしいです。

自宅などで、じっくり腰をすえて勉強できるときは、最新の過去問題5年分を出題基準に沿って分類した、既刊『2025管理栄養士国家試験過去問解説集』(中央法規出版)で出題傾向をつかみながら詳しい解説を読み込み、並行して隙間時間には本書を活用することをおすすめします。

本書を通じて、少しでも皆様のお役に立つことができれば幸いです。

2024年8月吉日

中央法規管理栄養士受験対策研究会
山田 澄恵・鬼頭 志保

勉強しなくちゃいけないのはわかっているけど…

それに就職活動もあるし、
その準備も大変で
エントリーシート…
移動時間やすき間時間を
うまく利用できる
勉強方法があったらいいのに…
あらあら二人とも
受験対策では、腰を据えて
過去問集にあたることが
絶対に外せないわ
過去問
過去問
やるべし!!
やっぱり…
しょぼーん…
でも、
勉強には効率も大切
この本は、最新を含めて
過去５年間の国試の
「出たトコ」から、
出題実績を分析して厳選した
「出るトコ」を一問一答形式に
してあるの
管理栄養士
2025
よく出るワード分
一問一答
これなら持ち運びやすいように
コンパクトだから
移動時間やすき間時間でも
勉強できるわよ
BUS STOP
今から買いに
行ってきます！
本
Book
こらー、
ちゃんと過去問集も
やるのよー！

目次

出題科目アイコンの説明

社会	人体	食べ物
社会・環境と健康	人体の構造と機能及び疾病の成り立ち	食べ物と健康
基礎	応用	栄養
基礎栄養学	応用栄養学	栄養教育論
臨床	公衆	給食
臨床栄養学	公衆栄養学	給食経営管理論

本書の特徴

1

1科目ずつより、複数の科目で出題される「頻出ワード」別で勉強する

本書は、1科目ずつ勉強を進めていく「試験科目別」ではなく、複数の科目にまたがって出題される「よく出るワード」別の構成とし、出題頻度を踏まえて、「よく出るワード」をA~Cの3ランクに区分しました。

出題頻度の高いワードや過去問を重点的に勉強することで、限られた時間を効率的・効果的に活用できます。

2

よく出題される過去問は、そのまま「正文」で暗記する

本書はよく出題される過去問のなかでも、特に丸ごと覚えてほしい過去問を選択肢レベルで厳選し「一問一答」にしました。○の設問はそのまま、×の設問は正誤のポイントを押さえたうえで解答欄にある文章を「丸ごと頭にたたき込む」(正文で覚える)ことで、どこを押さえるべきかが自然に身につきます。

本書には「出たトコ」から厳選した「出るトコ」が詰まっています。

国家試験200問の内、応用力試験の出題は30問と一番多いですが、その応用力試験を解いていくためにも、まずは本書の正文を覚えましょう。覚えた正文を組み合わせていくことで、応用力試験の解答を導くことができます。ただ覚えるのではなく、「この問題は、前にも似たようなものがあったな」と意識することも大事です。

3 出るトコを徹底的に分析する

例えば「消化器系」というワードは、過去の出題実績を分析すると、主に「人体の構造と機能及び疾病の成り立ち」「基礎栄養学」「臨床栄養学」などにまたがって出題されています。それぞれのワードで特に覚えてほしいことは「出るトコ徹底分析！」としてまとめました。ここを読むことでポイントとなる用語の特徴が理解でき、出題傾向や応用力が身につきます。

4 持ち運びしやすいコンパクトサイズ

本書は隙間時間にも開けるよう、携帯可能なハンディサイズにしました。また、メモを書き込めるように適度に余白を設けています。

5 受験勉強は効率重視！

「国家試験まで、まだまだ時間がある」という人は、いろいろ調べながら勉強することで、どんな問題にも対応できるようになると思いますが、時間がないなかで同じように勉強していては、すべての分野を網羅することはできません。

では、時間がないなかで、どう効率的・効果的に勉強をしたらよいのでしょうか？ 答えは、まずは出題頻度の高い分野を中心に勉強することです。

出題頻度が高いところは管理栄養士になったときも、栄養管理を実践していくうえで重要となる部分ですので、しっかり身につけていきましょう。本書はよく出るランク別になっていますので、まずはランクAから取りかかってください。

本書の使い方

国家試験問題

WORD 01 食品・栄養・健康の法令と政策

よく出るワード別に覚えるのが効果的！

過去の国家試験問題を科目を越えてよく出題される内容ごとに分類し直し、効率的に勉強できるようにしました。

1 食育推進基本計画の実施期間は、10年である。

2 食育基本法において、食育推進会議の会長は、厚生労働大臣が務めるとしている。

3 食育基本法は、食育の推進に当たって、国民の責務を規定している。

4 食育基本法は、栄養教諭の配置を規定している。

5 都道府県健康増進計画は、地域保健法に基づいて策定される。

6 健康日本21（第三次）では目標項目として、郷土料理や伝統料理を月1回以上食べている者の割合の増加が示されている。

7 健康日本21（第三次）では目標項目として、主食・主菜・副菜を組み合わせた食事が1日1回以上の日がほぼ毎日の者の割合の増加が示されている。

8 健康日本21（第三次）では、社会環境の質の向上に関する目標が盛り込まれている。

9 健康日本21（第三次）の目標の「合併症の減少」の対象疾患として、糖尿病網膜症が取り上げられている。

10 健康日本21（第二次）の目標のうち、「肥満傾向にある子どもの割合の減少」は最終評価で「悪化している」と判定された。

11 健康日本21（第三次）における健康寿命とは「日常生活に制限のない期間」を指す。

12 健康日本21（第三次）においては、健康寿命の増加分を上回る平均寿命の増加を目標としている。

…0kg/m²

…量」を、

…る者の増

大切なトコはまとめて覚える！

試験によく出るポイントを図表やイラストを用いてわかりやすくまとめました。

出るトコ徹底分析！

特に気をつけたい原材料表示

アレルギー原因物質を含む食品の表示

表示	品目	用語
義務	えび、かに、卵、乳、小麦、そば、落花生、くるみ	特定原材料（8品目）
推奨	アーモンド、あわび、いか、いくら、オレンジ、カシューナッツ、キウイフルーツ、牛肉、ごま、さけ、さば、大豆、鶏肉、バナナ、豚肉、マカダミアナッツ、もも、やまいも、りんご、ゼラチン	特定原材料に準ずるもの（20品目）

解答欄

出題科目 ▶

このワードに関連する出題があった科目です。

RANK A 絶対に押さえておきたい最注目ワード！

赤シートで解答ページを隠しながら解きましょう！

ワードのよく出る度合いをランクで示しました。

- ☒ 食育推進基本計画の実施期間は、5年である。（公衆 34-143）
- 食育基本法において、食育推進会議の会長は、農林水産大臣が務めるとしている。（公衆 37-141）
- 食育基本法は、食育の推進に当たって、国民の責務を規定している。（公衆 37-141）
- は、栄養教諭の配置を規定している。（公衆 34-143）
- ☒ 都道府県健康増進計画は、健康増進法に基づいて策定される。（社会 38-8）
- ☒ 第4次食育推進基本計画では目標項目として、郷土料理や伝統料理を月1回以上食べている者の割合の増加が示されている。（公衆 36-144 ＊改）
- ☒ 健康日本21（第三次）では目標項目として、主食・主菜・副菜を組み合わせた食事が1日2回以上の日がほぼ毎日の者の割合の増加が示されている。（公衆 36-144 ＊改）
- ○ 健康日本21（第三次）では、社会環境の質の向上に関する目標が盛り込まれている。（社会 38-8 ＊改）
- ☒ 健康日本21（第三次）の目標の「合併症の減少」の対象疾患として、糖尿病腎症が取り上げられている。（社会 38-11 ＊改）
- ○ 健康日本21（第二次）の目標のうち、「肥満傾向にある子どもの割合の減少」は最終評価で「悪化している」と判定された。（公衆 38-142）
- ○ 健康日本21（第三次）における健康寿命とは「日常生活に制限のない期間」を指す。（社会 34-1 ＊改）
- ☒ 健康日本21（第三次）においては、平均寿命の増加分を上回る健康寿命の増加を目標としている。（社会 34-1 ＊改）
- ○ 健康日本21（第三次）の目標設定においては、高齢者のBMI 20.0kg/m² 以下を「低栄養傾向」としている。（社会 36-11 ＊改）
- ☒ 健康日本21（第三次）では、「生活習慣病のリスクを高める飲酒量」を、1日当たりの純アルコール量で男性が40g以上、女性が20g以上としている。（社会 37-8 ＊改）
- ☒ 健康日本21（第三次）の最終評価で、「適正体重を維持している者の増加」……。（公衆 35-144 ＊改）

25

正誤のポイントを色文字で把握！

「○」なら問題文をそのまま暗記、「×」なら解説文で色文字の正誤のポイントを押さえて勉強できるようにしました。

解きながら最新の情報を覚える！

統計数値や法改正に関する問題などは、直近の内容を踏まえて加工・更新し、「＊改」と表示しました。

文末のカッコ書きは国家試験の「科目」「回」「問題番号」を表します。

管理栄養士国家試験の 受験資格

下記の図のように、受験資格を得るには、
実務経験ルートと管理栄養士養成施設ルートがあります。

管理栄養士国家試験の 概要

詳しくは厚生労働省のホームページなどにて公表されますので、必ずご確認ください

試験実施日

・2025（令和7）年3月2日（日）実施

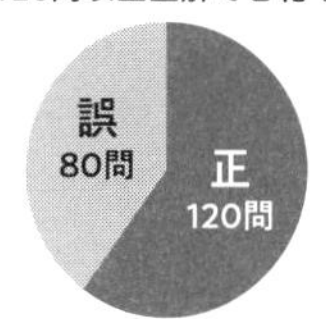

合格基準

・管理栄養士国家試験の合格基準では、配点を1問1点とし、次の基準を満たす人を合格とするとされています。

正答率60% 以上（120点以上 / 200点）の人

・そのため、まずは120問以上の正答をめざして、1問1問確実に積み上げていきましょう。120問以上の正答をめざすには、はじめから「捨て科目」をつくるのではなく、複数の科目でよく問われるテーマ（本書でいう「よく出るワード」）を効率よく学習することが合格への近道です。

出題科目と出題数の配分

・9 科目と応用力試験を、午前と午後に分けて行います。

午前の部（2時間25分）		
社会・環境と健康	16問	97問
人体の構造と機能及び疾病の成り立ち	26問	
食べ物と健康	25問	
基礎栄養学	14問	
応用栄養学	16問	

午後の部（2時間40分）		
栄養教育論	13 問	103問
臨床栄養学	26 問	
公衆栄養学	16問	
給食経営管理論	18問	
応用力試験	30問	

応用力試験

・応用力試験では、栄養マネジメントの基本的理解と、管理栄養士としてマネジメントするうえで必要とされる思考や判断力、基本的な課題に対応する能力が問われます。 病態や検査値などを覚えるのはもちろんのこと、そこからどのように指導し、声かけするかなど、問題文から状況を把握し、そのなかから解答を導き出す読解力が必要です。

・そのために、普段から過去問で応用力試験にあたる際には問題をしっかり読み込むことを心がけ、状況を整理する力を養いましょう。

モデルケース 1 6か月かけてじっくり

9月 ~10月の勉強法

・1年分の過去問に挑戦、採点しましょう。
・できなさにショックを受けるかもしれませんが、目的は「できないこと」を把握し、気持ちに火を点けることですので、点数が取れなくても心配は要りません。
・そして大事なのが復習です。「正文」には「○」、「誤文」には「x」をつけ、「誤文」は参考書や教科書を用いて「正文」に直し、マーカーを引いたり、解説文やメモを書き込んだりします。
・また「正文」であっても、なぜ正しいのかわからない場合は調べましょう。 この作業は時間がかかりますが、必ず実力がつきます。

Check this!
1冊で全科目が網羅された参考書と、過去問題集を購入。

9月 ~ 10月　11月　12月

願書入手

申し込み

Check this!
「自分が「弱い」と思う科目・範囲を書き出し、重点的に勉強。

11月の勉強法

・9月 ~10月に行った過去問の復習を振り返って、「ここは弱いなぁ」と思った科目・範囲を書き出してみましょう。
・11月はじっくりとそんな科目・範囲を攻める時期にあてましょう。
・また、大切だと思った参考書の図や表に付箋を貼っておくと試験直前の復習が楽になります。

取り組む！

12月 ~1月の勉強法

・国家試験は広範囲から出題されますが、過去問を解いてみると、出題頻度が高いワードや項目があることに気づくはずです。

・この時も「正文」と「誤文」に分けること、少しでも疑問の残るところは調べて補足事項を書き込んでおくことが大切です。

・ここでも、付箋貼りをしておきましょう。

Check this!

9月 ~10月に挑戦した年以外の過去問に2年分挑戦。

1月

2月

試験当日

2月の勉強法

・11月 ~1月に書き出した範囲と、付箋を貼った箇所の総復習。

・休日に本番と同じ時間配分で模擬試験に挑戦。ペース配分をつかむことができます。

・統計や調査の結果など、例年出題される数字を問う問題は、試験当日の1週間前くらいに集中して覚えるのがおすすめです。

これまでの総仕上げと模擬試験で本番の感覚をつかむ。

Check this!

6か月あると、はじめの数か月を基礎固めに使えます。社会人の方は学生時代の教科書を今でも持っていますか？　学校のカリキュラムや国家試験のガイドラインが時代とともに変わっても栄養学や生化学、解剖生理学などの内容はさほど変わりません。難関だといわれる国家試験ですが、教科書を開くと、学生時代にすでに勉強した内容が出題されていることに気づくでしょう。

モデルケース 2 3か月で集中学習！

・方法はモデルケース1と同じです。 時間はありませんが、例えば栄養素の代謝など、正しい文章の丸覚えだけでは太刀打ちできない範囲もあります。 図や表を有効に活用して頭に入れましょう。
・もう一つのアプローチとして、隙間時間を使って出題頻度の高い過去問の正文を丸ごと覚えます。そうすることで過去問に目が慣れてきます。

Check this!
休日に過去問1年分に
本番と同じ時間配分で
挑戦＆復習。

12月

申し込み

通勤手段が電車やバスの方は、移動時間を有効に使うのも手です。ハンディサイズの本書なら、車内での勉強が可能です。そのとき「なぜ?」と思った文章があったら、後のフォローを忘れずに。

統計や調査の結果など、例年出題される数字を問う問題は、試験当日の1週間前くらいから集中して覚え始めるのをおすすめします。それまでの過去問や模擬試験のその部分の得点は低いかもしれませんが、記憶力とその維持を考えると、このほうが効率は良いのです。

限られた時間のなかで成果を出すには、要領よく勉強する作戦が大事ですね。

・とにかく国家試験さながらの問題に常に触れることが大切です。

Check this!

12月に実施した以外の過去問や模擬試験への挑戦＆復習。

1月

2月

試験当日

・隙間時間を有効に使い、１問でも多く問題に触れるようにしましょう。

1問でも多く問題に触れる。

Check this!

受験の申し込みは早めに済ませ、勉強に集中しましょう！

試験当日までの

1週間の過ごし方

7日前

・統計や調査の結果など、例年出題される数字を問う問題を集中的に暗記開始。
・付箋を貼った箇所の総復習を開始。

6日前

・出題が多い法律や指針など、覚えていれば得点につながりやすい範囲を再確認。

5日前

・模擬試験の午前部分（2時間25分）を実施。

4日前

・前日の模擬試験を復習。

3日前

・模擬試験の午後部分（2時間40分）を実施。

2日前

・前日の模擬試験を復習。

1日前

・国家試験は体力と集中力を要します。徹夜はおすすめできません。

試験当日

「自分を信じる」これにつきます！

本番では、問題すべてを2回繰り返して読むことをおすすめします。時間はかかりますが読み込むことで、精度よく正答にたどり着くことができます。

また、どうしても解答を1つに絞れなくて、時間がかかる場合は「保留」と書いて飛ばし、次の問題に取りかかるようにしましょう。最後の問題まで解答できずに終わることを避けるためです。その際に、問題番号とマークシートがずれないように注意しましょう。

持ち物チェックリスト

用意できたら☑を付けよう！

☐
受験票

もう一度試験会場を確認し、会場までの経路をおさらいしておきましょう。前泊する場合は、ホテルは早めに予約しておきましょう。

☐
腕時計

会場によっては、受験者の後ろのみに時計があるところもあるようです。カンニング対策として、スマートフォンは時計代わりには使用できないでしょう。試験中は電源を切って、鞄の中に入れるように指示されると思います。

☐
HBやBの濃い鉛筆(3~5本あると安心)

実は、私は使い慣れたシャープペンシルで受験しました。もちろん念のため鉛筆も持参しましたが、横になった楕円形を塗りつぶすマークシートの形式は、細めの芯のほうが塗りつぶしやすかったので。

☐
消しゴム(2つ)

万が一、落としてしまった場合の焦りなど、マイナス要因を避けるために2つ。

☐
昼食

お腹いっぱい食べてしまうと、眠くなったり集中力が低下したりすることもあるので、「腹八分目」の量を心がけましょう。また、試験会場近くのコンビニは朝から混みあうことが予想されます。できれば事前に用意をして出かけましょう。

☐
コンパクトな参考書1冊

参考書は最終確認のためと、お守りの役割もあるように思います。ただし、使い込んだものでないとダメですよ。やりかけの参考書を試験当日に見ても、「あれもこれもわかんない!」と不安が募るだけですから。

RANK

A

絶対に押さえておきたい最注目ワード！

過去の国家試験において出題実績が特に多いワード、また「人体の構造と機能及び疾病の成り立ち」と「臨床栄養学」に関連するワードを集めました。

この2科目を苦手とする受験生は多いと思われますが、ウエイトの大きいものを押さえることは、国家試験攻略の鍵となります。

WORD **01** 食品・栄養・健康の法令と政策

1	食育推進基本計画の実施期間は、10年である。
2	食育基本法において、食育推進会議の会長は、厚生労働大臣が務めるとしている。
3	食育基本法は、食育の推進に当たって、国民の責務を規定している。
4	食育基本法は、栄養教諭の配置を規定している。
5	都道府県健康増進計画は、地域保健法に基づいて策定される。
6	健康日本21（第三次）では目標項目として、郷土料理や伝統料理を月1回以上食べている者の割合の増加が示されている。
7	健康日本21（第三次）では目標項目として、主食・主菜・副菜を組み合わせた食事が1日1回以上の日がほぼ毎日の者の割合の増加が示されている。
8	健康日本21（第三次）では、社会環境の質の向上に関する目標が盛り込まれている。
9	健康日本21（第三次）の目標の「合併症の減少」の対象疾患として、糖尿病網膜症が取り上げられている。
10	健康日本21（第二次）の目標のうち、「肥満傾向にある子どもの割合の減少」は最終評価で「悪化している」と判定された。
11	健康日本21（第三次）における健康寿命とは「日常生活に制限のない期間」を指す。
12	健康日本21（第三次）においては、健康寿命の増加分を上回る平均寿命の増加を目標としている。
13	健康日本21（第三次）の目標設定においては、高齢者のBMI 20.0kg/m^2以下を「低栄養傾向」としている。
14	健康日本21（第三次）では、「生活習慣病のリスクを高める飲酒量」を、1日当たりの純アルコール量で男女とも40g以上としている。
15	健康日本21（第二次）の最終評価で、「適正体重を維持している者の増加」の目標項目は、「目標値に達した」であった。

☒ 食育推進基本計画の実施期間は、5年である。（公衆　34-143）

☒ 食育基本法において、食育推進会議の会長は、農林水産大臣が務めるとしている。（公衆　37-141）

○ 食育基本法は、食育の推進に当たって、国民の責務を規定している。（公衆　37-141）

☒ 学校教育法は、栄養教諭の配置を規定している。（公衆　34-143）

☒ 都道府県健康増進計画は、健康増進法に基づいて策定される。（社会　38-8）

☒ 第4次食育推進基本計画では目標項目として、郷土料理や伝統料理を月1回以上食べている者の割合の増加が示されている。（公衆　36-144＊改）

☒ 健康日本21（第三次）では目標項目として、主食・主菜・副菜を組み合わせた食事が1日2回以上の日がほぼ毎日の者の割合の増加が示されている。（公衆　36-144＊改）

○ 健康日本21（第三次）では、社会環境の質の向上に関する目標が盛り込まれている。（社会　38-8＊改）

☒ 健康日本21（第三次）の目標の「合併症の減少」の対象疾患として、糖尿病腎症が取り上げられている。（社会　38-11＊改）

○ 健康日本21（第二次）の目標のうち、「肥満傾向にある子どもの割合の減少」は最終評価で「悪化している」と判定された。（公衆　38-142）

○ 健康日本21（第三次）における健康寿命とは「日常生活に制限のない期間」を指す。（社会　34-1＊改）

☒ 健康日本21（第三次）においては、平均寿命の増加分を上回る健康寿命の増加を目標としている。（社会　34-1＊改）

○ 健康日本21（第三次）の目標設定においては、高齢者のBMI 20.0kg/m^2以下を「低栄養傾向」としている。（社会　36-11＊改）

☒ 健康日本21（第三次）では、「生活習慣病のリスクを高める飲酒量」を、1日当たりの純アルコール量で男性が40g以上、女性が20g以上としている。（社会　37-8＊改）

☒ 健康日本21（第二次）の最終評価で、「適正体重を維持している者の増加」の目標項目は、「変わらない」であった。（公衆　35-144＊改）

16 健康日本21（第二次）の最終評価で、「適切な量と質の食事をとる者の増加」の目標項目は、「目標値に達した」であった。

17 健康日本21（第二次）の最終評価で、「共食の増加」の目標項目は、「目標値に達した」であった。

18 健康日本21（第二次）の最終評価では、「目標値に達した」と評価された項目は全体の半数を超えた。

19 食事バランスガイドは、厚生労働省と文部科学省が合同で策定した。

20 食事バランスガイドは、対象者の性別、年齢、身体活動レベルによって、摂取の目安「つ（SV）」数が異なる。

21 食事バランスガイドは、主食、副菜、主菜、汁物、果物の5つの料理区分で構成されている。

22 食事バランスガイドのコマの軸は、菓子・嗜好飲料を示している。

23 妊娠前からはじめる妊産婦のための食生活指針は、非妊娠時の体格に応じた、望ましい体重増加量を示している。

24 妊娠前からはじめる妊産婦のための食生活指針は、バランスのよい食生活の中での母乳育児を推奨している。

25 妊娠前からはじめる妊産婦のための食生活指針は、受動喫煙のリスクについて示している。

26 食品安全委員会は、食品衛生法により設置されている。

27 食品安全委員会は、食品に含まれる有害物質のリスク管理を行う。

28 食品安全委員会は、食品添加物の一日摂取許容量（ADI）を設定する。

29 食品衛生とは、食品、医薬部外品、器具および容器包装を対象とする飲食に関する衛生をいう。

30 乳製品の製造又は加工を行う営業者は、その施設ごとに食品衛生監視員を置かなければならない。

31 栄養士法は、食品衛生監視員の任命を規定している。

☒ 健康日本21（第二次）の最終評価で、「適切な量と質の食事をとる者の増加」の目標項目は、「変わらない」であった。（公衆　35-144 ＊改）

〇 健康日本21（第二次）の最終評価で、「共食の増加」の目標項目は、「目標値に達した」であった。（公衆　35-144 ＊改）

☒ 健康日本21（第二次）の最終評価では、「目標値に達した」と評価された項目は全体の15.1％である。（社会　38-8）

☒ 食事バランスガイドは、厚生労働省と農林水産省が合同で策定した。（公衆　38-144）

〇 食事バランスガイドは、対象者の性別、年齢、身体活動レベルによって、摂取の目安「つ（SV）」数が異なる。（公衆　38-144）

☒ 食事バランスガイドは、主食、副菜、主菜、牛乳・乳製品、果物の5つの料理区分で構成されている。（公衆　38-144）

☒ 食事バランスガイドのコマの軸は、水・お茶を示している。（公衆　38-144）

〇 妊娠前からはじめる妊産婦のための食生活指針は、非妊娠時の体格に応じた、望ましい体重増加量を示している。（公衆　35-143 ＊改）

〇 妊娠前からはじめる妊産婦のための食生活指針は、バランスのよい食生活の中での母乳育児を推奨している。（公衆　35-143 ＊改）

〇 妊娠前からはじめる妊産婦のための食生活指針は、受動喫煙のリスクについて示している。（公衆　35-143 ＊改）

☒ 食品安全委員会は、食品安全基本法により設置されている。（食べ物　35-52）

☒ 食品安全委員会は、食品に含まれる有害物質のリスク評価を行う。（食べ物　35-52）

〇 食品安全委員会は、食品添加物の一日摂取許容量（ADI）を設定する。（食べ物　35-52）

☒ 食品衛生とは、食品、添加物、器具および容器包装を対象とする飲食に関する衛生をいう。（食べ物　34-53）

☒ 乳製品の製造又は加工を行う営業者は、その施設ごとに食品衛生管理者を置かなければならない。（食べ物　34-53）

☒ 食品衛生法は、食品衛生監視員の任命を規定している。（公衆　36-142）

32 栄養士法は、特定機能病院における管理栄養士の配置を規定している。

33 栄養士法は､厚生労働省に管理栄養士名簿を備えることを規定している。

34 管理栄養士は、傷病者に対する療養のために必要な栄養の指導を行う。

35 管理栄養士の免許は、都道府県知事が管理栄養士名簿に登録することにより行う。

36 管理栄養士には、就業の届出が義務づけられている。

37 特定健康診査・特定保健指導の実施の根拠法は、高齢者の医療の確保に関する法律である。

38 健康増進法において、栄養指導員の任命は、厚生労働大臣が行う。

39 健康増進法において、食事摂取基準の策定は、厚生労働大臣が行う。

40 健康増進法において、特定給食施設に対する勧告は、厚生労働大臣が行う。

41 健康増進法において、国民健康・栄養調査における調査世帯の指定は、厚生労働大臣が行う。

42 健康増進法において、国民健康・栄養調査員の任命は、厚生労働大臣が実施する。

43 健康増進法において、国民の健康の増進の総合的な推進を図るための基本的な方針の決定は、内閣総理大臣が行う。

44 健康増進法は、受動喫煙防止の対策を規定している。

45 健康増進法に基づき、1日1,500食を提供する社員食堂は管理栄養士を配置するよう努めなければならない。

46 健康増進法に基づき、朝食150食、昼食450食、夕食150食を提供する事業所は、管理栄養士を配置するよう努めなければならない。

☒ 医療法施行規則は、特定機能病院における管理栄養士の配置を規定している。（公衆　36-142）

○ 栄養士法は、厚生労働省に管理栄養士名簿を備えることを規定している。（公衆　38-141）

○ 管理栄養士は、傷病者に対する療養のために必要な栄養の指導を行う。（公衆　35-142）

☒ 管理栄養士の免許は、厚生労働大臣が管理栄養士名簿に登録することにより行う。（公衆　35-142）

☒ 管理栄養士には、就業の届出が義務づけられていない。（公衆　35-142）

○ 特定健康診査・特定保健指導の実施の根拠法は、高齢者の医療の確保に関する法律である。（公衆　38-140）

☒ 健康増進法において、栄養指導員の任命は、都道府県知事が行う。（公衆　35-141）

○ 健康増進法において、食事摂取基準の策定は、厚生労働大臣が行う。（公衆　36-141）

☒ 健康増進法において、特定給食施設に対する勧告は、都道府県知事が行う。（公衆　36-141）

☒ 健康増進法において、国民健康・栄養調査における調査世帯の指定は、都道府県知事が行う。（公衆　36-141）

☒ 健康増進法において、国民健康・栄養調査員の任命は、都道府県知事が実施する。（公衆　35-141）

☒ 健康増進法において、国民の健康の増進の総合的な推進を図るための基本的な方針の決定は、厚生労働大臣が行う。（公衆　35-141）

○ 健康増進法は、受動喫煙防止の対策を規定している。（公衆　37-142）

☒ 健康増進法に基づき、1日1,500食を提供する社員食堂は管理栄養士を配置しなければならない。（給食　34-153）

○ 健康増進法に基づき、朝食150食、昼食450食、夕食150食を提供する事業所は、管理栄養士を配置するよう努めなければならない。（給食　37-154）

47 健康増進法に基づき、1回500食を提供する社員寮は管理栄養士を配置するよう努めなければならない。

48 健康増進法に基づき、1日750食を提供する介護老人保健施設は管理栄養士を配置しなければならない。

49 健康増進法に基づき、1回300食を提供する病院は管理栄養士を配置するよう努めなければならない。

50 朝食、昼食、夕食をそれぞれ250食提供している病院は、健康増進法に基づき、管理栄養士を配置しなければならない特定給食施設である。

51 健康増進法に基づき、朝食、昼食、夕食の合計で300食を提供する児童自立支援施設は、管理栄養士を配置しなければならない。

52 学校給食実施基準の策定の根拠法は、食育基本法である。

53 小・中学校における給食の献立は、食に関する指導の全体計画を踏まえて作成する。

54 小・中学校における給食の献立作成業務は、学校給食の趣旨を十分に理解した業者に委託する。

55 病院は、給食の運営業務を外部委託することにより、給食従事者の労務管理を軽減できる。

☒	健康増進法に基づき、1回500食を提供する社員寮は管理栄養士を配置しなければならない。（給食　34-153）
○	健康増進法に基づき、1日750食を提供する介護老人保健施設は管理栄養士を配置しなければならない。（給食　34-153）
☒	健康増進法に基づき、1回300食を提供する病院は管理栄養士を配置しなければならない。（給食　34-153）
○	朝食、昼食、夕食をそれぞれ250食提供している病院は、健康増進法に基づき、管理栄養士を配置しなければならない特定給食施設である。（給食　38-154）
☒	健康増進法に基づき、朝食、昼食、夕食の合計で300食を提供する児童自立支援施設は、管理栄養士を配置するよう努めなければならない。（給食　37-154）
☒	学校給食実施基準の策定の根拠法は、学校給食法である。（公衆　38-140）
○	小・中学校における給食の献立は、食に関する指導の全体計画を踏まえて作成する。（給食　36-155）
☒	小・中学校における給食の献立作成業務は、業者委託の対象とはならない。（給食　36-155）
○	病院は、給食の運営業務を外部委託することにより、給食従事者の労務管理を軽減できる。（給食　37-157）

WORD 02 医療・介護の制度と法律

1 医療計画は、地域保健法が根拠法である。

2 医療計画は、国が策定する。

3 医療計画は、一次医療圏を設定する。

4 わが国の医療計画には、「がん」、「脳卒中」、「心筋梗塞等の心血管疾患」、「糖尿病」、「精神疾患」の5疾病の治療と予防に係る事業が含まれる。

5 医療計画には、医療の確保に必要な5事業の1つに、災害時における医療がある。

6 基準病床数は、医療計画に含まれる。

7 65歳以上の1人当たり国民医療費は、65歳未満の約2倍である。

8 わが国の社会保障において、雇用保険は、保健医療・公衆衛生である。

9 わが国の社会保障において、医療保険は、公的扶助である。

10 わが国の社会保障において、年金は、社会保険である。

11 わが国の社会保障において、生活保護は、社会福祉である。

12 わが国の社会保障において、介護保険は、保健医療・公衆衛生である。

13 被用者保険と国民健康保険では、受診時の自己負担割合は異なる。

14 後期高齢者医療制度の財源の約1割は、高齢者本人の保険料である。

15 介護保険制度において、保険者は、国である。

16 介護保険制度において、被保険者は、30歳以上の者である。

17 介護保険制度では、利用者が自らの意思に基づいて、利用するサービスを選択し決定することができる。

18 介護保険制度において、「要介護2」は、予防給付の対象となる。

☒ 医療計画は、医療法が根拠法である。（社会　38-14）

☒ 医療計画は、都道府県が策定する。（社会　38-14）

☒ 医療計画は、二次医療圏および三次医療圏を設定する。（社会　38-14）

○ わが国の医療計画には、「がん」、「脳卒中」、「心筋梗塞等の心血管疾患」、「糖尿病」、「精神疾患」の5疾病の治療と予防に係る事業が含まれる。（社会　36-13）

○ 医療計画には、医療の確保に必要な5事業の1つに、災害時における医療がある。（社会　38-14）

○ 基準病床数は、医療計画に含まれる。（社会　34-14）

☒ 65歳以上の1人当たり国民医療費は、65歳未満の約4倍である。（社会　34-15）

☒ わが国の社会保障において、雇用保険は、社会保険である。（社会　38-13）

☒ わが国の社会保障において、医療保険は、社会保険である。（社会　38-13）

○ わが国の社会保障において、年金は、社会保険である。（社会　38-13）

☒ わが国の社会保障において、生活保護は、公的扶助である。（社会　38-13）

☒ わが国の社会保障において、介護保険は、社会保険である。（社会　38-13）

☒ 被用者保険と国民健康保険では、受診時の自己負担割合は同じである。（社会　34-13）

○ 後期高齢者医療制度の財源の約1割は、高齢者本人の保険料である。（社会　34-13）

☒ 介護保険制度において、保険者は、全国の市町村および特別区である。（社会　37-16）

☒ 介護保険制度において、被保険者は、40歳以上の者である。（社会　37-16）

○ 介護保険制度では、利用者が自らの意思に基づいて、利用するサービスを選択し決定することができる。（社会　36-14）

☒ 介護保険制度において、「要支援2」は、介護給付の対象となる。（社会　36-14）

WORD 02

19 介護保険制度において、要介護認定は、介護支援専門員が行う。

20 介護保険制度では、住宅改修は介護給付の対象でない。

21 介護保険制度では、施設サービスは予防給付の対象とならない。

22 介護保険制度において、通所介護（デイサービス）は、施設サービスに含まれる。

23 入院時食事療養（Ⅰ）を算出している病院における給食では、食事療養の内容は、医師を含む会議で検討する。

24 入院時食事療養（Ⅰ）を算出している病院における給食では、夕食の配膳時間は、午後5時とする。

25 入院時食事療養（Ⅰ）を算出している病院における給食では、特別食加算は、患者の自己負担による。

26 入院時食事療養（Ⅰ）を算出している病院における給食では、食堂加算は、1食につき50円を算定できる。

27 入院時食事療養（Ⅰ）の届出を行った保険医療機関において、痛風の患者に、痛風食を提供した場合、特別食加算が算定できる。

28 入院時食事療養（Ⅰ）の届出を行った保険医療機関において、摂食・嚥下機能が低下した患者に、嚥下調整食を提供した場合、特別食加算が算定できる。

29 誤嚥なく経口摂取できている者に経口維持加算は算定できる。

30 食事摂取量が50％の者に栄養改善加算を算定できる。

31 診療報酬における在宅患者訪問栄養食事指導料の算定要件において、指導に従事する管理栄養士は、常勤に限る。

32 診療報酬における在宅患者訪問栄養食事指導料の算定要件に関して、算定回数は、1か月1回に限る。

33 診療報酬における在宅患者訪問栄養食事指導料の算定要件において、指導時間は、1回20分以上とする。

×	介護保険制度において、要介護認定は、介護認定審査会が行う。（社会 36-14）
×	介護保険制度では、住宅改修は介護給付の対象である。（社会 35-15）
○	介護保険制度では、施設サービスは予防給付の対象とならない。（社会 35-15）
×	介護保険制度において、通所介護（デイサービス）は、居宅サービスに含まれる。（社会 36-14）
○	入院時食事療養（Ⅰ）を算出している病院における給食では、食事療養の内容は、医師を含む会議で検討する。（給食 38-155）
×	入院時食事療養（Ⅰ）を算出している病院における給食では、夕食の配膳時間は、午後6時以降とする。（給食 38-155）
×	入院時食事療養（Ⅰ）を算出している病院における給食では、特別食加算は、保険給付対象である。（給食 38-155）
×	入院時食事療養（Ⅰ）を算出している病院における給食では、食堂加算は、1日につき50円を算定できる。（給食 38-155）
○	入院時食事療養（Ⅰ）の届出を行った保険医療機関において、痛風の患者に、痛風食を提供した場合、特別食加算が算定できる。（臨床 35-111）
×	入院時食事療養（Ⅰ）の届出を行った保険医療機関において、摂食・嚥下機能が低下した患者に、嚥下調整食を提供した場合、特別食加算が算定できない。（臨床 35-111）
×	誤嚥なく経口摂取できている者に経口維持加算は算定できない。（臨床 38-111）
○	食事摂取量が50%の者に栄養改善加算を算定できる。（臨床 38-111）
×	診療報酬における在宅患者訪問栄養食事指導料の算定要件において、指導に従事する管理栄養士は、常勤に限らない。（臨床 34-115）
×	診療報酬における在宅患者訪問栄養食事指導料の算定要件に関して、算定回数は、1か月2回に限る。（臨床 34-115）
×	診療報酬における在宅患者訪問栄養食事指導料の算定要件において、指導時間は、1回30分以上とする。（臨床 34-115）

34 診療報酬における在宅患者訪問栄養食事指導料の算定要件において、指導内容には、食事の用意や摂取等に関する具体的な指導が含まれる。

35 診療報酬における在宅患者訪問栄養食事指導料の算定要件に関して、訪問に要した交通費は、指導料に含まれる。

36 外来栄養食事指導料において、初回の指導時間は、概ね 20 分以上で算定できる。

37 外来栄養食事指導料において、BMI 27.0kg/m^2の肥満者は、算定対象となる。

38 外来栄養食事指導料において、7 歳の小児食物アレルギー患者は、算定対象とならない。

39 血中ヘモグロビン濃度 11g/dL の鉄欠乏性貧血患者に入院栄養食事指導料を算定できる。

40 BMI 18.0kg/m^2の者に摂食障害入院医療管理加算を算定できる。

41 他の介護保険施設に転所した後、再入所した者に再入所時栄養連携加算を算定できる。

○ 診療報酬における在宅患者訪問栄養食事指導料の算定要件において、指導内容には、食事の用意や摂取等に関する具体的な指導が含まれる。（臨床 34-115）

☒ 診療報酬における在宅患者訪問栄養食事指導料の算定要件に関して、訪問に要した交通費は、患家負担となる。（臨床 34-115）

☒ 外来栄養食事指導料において、初回の指導時間は、概ね 30 分以上で算定できる。（臨床 36-112）

☒ 外来栄養食事指導料において、BMI 30.0kg/m^{2}の肥満者は、算定対象となる。（臨床 36-112）

☒ 外来栄養食事指導料において、16 歳以上の小児食物アレルギー患者は、算定対象とならない。（臨床 36-112）

☒ 血中ヘモグロビン濃度 10g/dL 以下の鉄欠乏性貧血患者に入院栄養食事指導料を算定できる。（臨床 38-111）

☒ BMI 15.0kg/m^{2}未満の者に摂食障害入院医療管理加算を算定できる。（臨床 38-111）

☒ 転院した医療機関を退院後、同じ介護施設にすぐに再入所した者に再入所時栄養連携加算を算定できる。（臨床 38-111）

WORD **03**

保健・福祉制度と法律

1 児童虐待防止法において、「ネグレクト」は児童虐待と規定されている行為である。

2 児童虐待防止法において、「心理的虐待」は児童虐待と規定されている行為である。

3 母子生活支援施設の給食運営は、労働安全衛生法で定められている。

4 乳児院の給食運営は、児童福祉法で定められている。

5 児童養護施設の給食運営は、学校給食法で定められている。

6 わが国のデータヘルス計画は、医療法に基づいて策定される。

7 わが国のデータヘルス計画は、被保険者の QOL の改善に役立てる。

8 わが国のデータヘルス計画では、医療費の適正化を目指している。

9 わが国の歯科口腔保健において、「一生自分の歯で食べること」を目標にした啓発運動として、「8020（ハチマルニイマル）運動」がある。

10 母子健康手帳は、児の出生届出時に交付される。

11 母子健康手帳には、WHO の定めた身体発育曲線が用いられている。

12 未熟児に対する養育医療の給付は、市町村が行う。

13 先天性代謝異常等検査は、1 歳 6 か月児健康診査で実施される。

14 歯・口腔の診査は、3 歳児健康診査から開始される。

15 幼児の健康診査の実施は、健康増進法で定められている。

16 がん対策基本法は、がん登録を実施する根拠法である。

17 がん対策基本法は、がん患者の雇用継続を目指している。

○	児童虐待防止法において、「ネグレクト」は児童虐待と規定されている行為である。（社会　37-12）
○	児童虐待防止法において、「心理的虐待」は児童虐待と規定されている行為である。（社会　37-12）
×	母子生活支援施設の給食運営は、児童福祉法で定められている。（給食　35-155）
○	乳児院の給食運営は、児童福祉法で定められている。（給食　35-155）
×	児童養護施設の給食運営は、児童福祉法で定められている。（給食　35-155）
×	わが国のデータヘルス計画は、健康保険法に基づく保健事業の実施策に関する指針に基づいて策定される。（社会　37-14）
○	わが国のデータヘルス計画は、被保険者の QOL の改善に役立てる。（社会　37-14）
○	わが国のデータヘルス計画では、医療費の適正化を目指している。（社会　37-14）
○	わが国の歯科口腔保健において、「一生自分の歯で食べること」を目標にした啓発運動として、「8020（ハチマルニイマル）運動」がある。（社会　38-9）
×	母子健康手帳は、妊娠の届出時に交付される。（社会　36-15）
×	母子健康手帳には、厚生労働省の定めた身体発育曲線が用いられている。（社会　36-15）
○	未熟児に対する養育医療の給付は、市町村が行う。（社会　36-15）
×	先天性代謝異常等検査は、生後 5～7 日（日齢 4～6 日）に実施される。（社会　36-15）
×	歯・口腔の診査は、1 歳 6 か月児健康診査から開始される。（社会　36-15）
×	幼児の健康診査の実施は、母子保健法で定められている。（公衆　34-142）
×	がん登録等の推進に関する法律は、がん登録を実施する根拠法である。（社会　38-10）
○	がん対策基本法は、がん患者の雇用継続を目指している。（社会　38-10）

WORD 03

18 健康増進法に基づいて実施されるがん検診は、都道府県の事業である。

19 都道府県は、がん対策推進計画を策定しなければならない。

20 乳がん検診において法に基づく市町村事業としての検診では、20歳以上を対象とする。

21 市町村保健センターの設置については、健康増進法に規定されている。

22 市町村保健センターの保健センター長は、医師でなければならない。

23 医療機関の監視は、市町村保健センターの業務である。

24 食品衛生の監視は、市町村保健センターの業務である。

25 環境衛生の監視は、市町村保健センターの業務である。

26 結核発生時の接触者健康診断は、保健所の業務である。

27 保健所は、医療法に基づいて設置されている。

28 栄養士法は、保健所における管理栄養士の配置基準を規定している。

29 学校保健において、教職員は、対象に含まれない。

30 学校保健において、学校医が、上水道やプールなどの定期的な環境衛生検査を行う。

31 学校保健において、学校保健委員会は、教育委員会に設置される。

32 学校保健において、定期健康診断の項目に、栄養状態が含まれる。

33 学校保健において、学校設置者が、学校感染症による出席停止の指示を行う。

34 地域包括ケアシステムでは、多様な医療・介護資源のネットワーク化を重視する。

35 地域支援事業の実施主体は、都道府県である。

36 地域支援事業は、介護予防を目的とした事業である。

☒ 健康増進法に基づいて実施されるがん検診は、市町村の事業である。（社会 36-9）

○ 都道府県は、がん対策推進計画を策定しなければならない。（社会 36-9）

☒ 乳がん検診において法に基づく市町村事業としての検診では、40歳以上を対象とする。（社会 35-9）

☒ 市町村保健センターの設置については、地域保健法に規定されている。（社会 35-13）

☒ 市町村保健センターの保健センター長は、医師である必要はない。（社会 35-13）

☒ 医療機関の監視は、保健所の業務である。（社会 37-15）

☒ 食品衛生の監視は、保健所の業務である。（社会 37-15）

☒ 環境衛生の監視は、保健所の業務である。（社会 36-12）

○ 結核発生時の接触者健康診断は、保健所の業務である。（社会 37-15）

☒ 保健所は、地域保健法に基づいて設置されている。（社会 36-12）

☒ 地域保健法施行令は、保健所における管理栄養士の配置基準を規定している。（公衆 37-143）

☒ 学校保健において、教職員は、対象に含まれる。（社会 38-16）

☒ 学校保健において、学校薬剤師が、上水道やプールなどの定期的な環境衛生検査を行う。（社会 38-16）

☒ 学校保健において、学校保健委員会は、学校に設置される。（社会 38-16）

○ 学校保健において、定期健康診断の項目に、栄養状態が含まれる。（社会 38-16）

☒ 学校保健において、校長が、学校感染症による出席停止の指示を行う。（社会 38-16）

○ 地域包括ケアシステムでは、多様な医療・介護資源のネットワーク化を重視する。（公衆 35-152）

☒ 地域支援事業の実施主体は、市町村である。（公衆 35-152）

○ 地域支援事業は、介護予防を目的とした事業である。（公衆 37-151）

WORD **03**

37 地域包括支援センターは、管理栄養士の配置が義務づけられている。

38 わが国の労働者のメンタルヘルス対策において、労働安全衛生法では、事業者は、1か月間の時間外労働が80時間を超えた労働者に対して、その情報を通知しなければならない。

39 わが国の労働者のメンタルヘルス対策において、ラインケアとは、管理監督者が労働者のメンタル不調の早期発見等に努めることである。

☒ 地域包括支援センターは、管理栄養士の配置が義務づけられていない。（公衆　35-152）

◯ わが国の労働者のメンタルヘルス対策において、労働安全衛生法では、事業者は、1か月間の時間外労働が80時間を超えた労働者に対して、その情報を通知しなければならない。（社会　38-15）

◯ わが国の労働者のメンタルヘルス対策において、ラインケアとは、管理監督者が労働者のメンタル不調の早期発見等に努めることである。（社会　38-15）

WORD **04**

国際保健

1	WHO憲章では、健康を、「身体的、精神的および社会的に完全に良好な状態であり、単に疾病または病弱の存在しないことではない」としている。この文で「良好」を表す英単語は「good」である。
2	ヘルスプロモーションは、国際栄養会議で初めて提唱された。
3	ヘルスプロモーションの戦略の1つとして、アドボカシー（唱道）がある。
4	「栄養に関する行動の10年」は、2021年に開始された。
5	Global Nutrition Targets 2025は、国連世界食糧計画（WFP）が設定した。
6	WHOのたばこ規制枠組条約（FCTC）には、たばこの価格政策が含まれる。
7	先進国では、NCDによる死亡数は減少している。
8	NCDに麻しんは含まれる。
9	NCDに遺伝的要因は影響しない。
10	NCDsの予防と対策のためのグローバル戦略は、国連食糧農業機関（FAO）が策定した。
11	母乳育児を成功させるための10か条は、国連食糧農業機関（FAO）が発表した。
12	食物ベースの食生活指針の開発と活用に関する提言は、国連開発計画（UNDP）が行う。
13	食品の公正な貿易の確保は、国連世界食糧計画（WFP）が行う。
14	国際的な栄養表示ガイドラインの策定は、国連世界食糧計画（WFP）が行う。
15	難民キャンプへの緊急食料支援は、コーデックス委員会（CAC）が実施している。
16	ユニバーサル・ヘルス・カバレッジ（UHC）とは、先進医療を推進することをいう。

☒ WHO憲章では、健康を、「身体的、精神的および社会的に完全に良好な状態であり、単に疾病または病弱の存在しないことではない」としている。この文で「良好」を表す英単語は「well-being」である。（社会　38-1）

☒ ヘルスプロモーションは、カナダのオタワで世界保健機関（WHO）により初めて提唱された。（公衆　38-137）

○ ヘルスプロモーションの戦略の1つとして、アドボカシー（唱道）がある。（公衆　38-137）

☒ 「栄養に関する行動の10年」は、2016年に開始された。（公衆　38-145）

☒ Global Nutrition Targets 2025は、世界保健機関（WHO）が設定した。（公衆　38-145）

○ WHOのたばこ規制枠組条約（FCTC）には、たばこの価格政策が含まれる。（社会　36-8）

☒ 先進国では、NCDによる死亡数は増加している。（公衆　34-140）

☒ NCDに麻しんは含まれない。（社会　35-7）

☒ NCDに遺伝的要因は影響する。（社会　35-7）

☒ NCDsの予防と対策のためのグローバル戦略は、世界保健機関（WHO）が策定した。（公衆　38-145）

☒ 母乳育児を成功させるための10か条は、世界保健機関（WHO）と国連児童基金（UNICEF）が共同で発表した。（公衆　34-146）

☒ 食物ベースの食生活指針の開発と活用に関する提言は、国連食糧農業機関（FAO）、世界保健機関（WHO）が行う。（公衆　36-145）

☒ 食品の公正な貿易の確保は、コーデックス委員会（CAC）が行う。（公衆　35-145）

☒ 国際的な栄養表示ガイドラインの策定は、コーデックス委員会（CAC）が行う。（公衆　36-145）

☒ 難民キャンプへの緊急食料支援は、国連世界食糧計画（WFP）とともに国連難民高等弁務官事務所（UNHCR）が実施している。（公衆　34-146）

☒ ユニバーサル・ヘルス・カバレッジ（UHC）とは、全ての人が適切な予防、治療、リハビリ等の保健医療サービスを、支払い可能な費用で受けられる状態をいう。（公衆　38-145）

WORD **04**

17 持続可能な開発目標（SDGs）の策定は、国際連合（UN）が行う。

18 「持続可能な開発目標（SDGs）」に先立ち、地球規模の環境問題に対する行動原則として、「持続可能な開発」を示した文書はリオ宣言である。

19 栄養不良の二重負荷（double burden of malnutrition）とは、発育阻害と消耗症が混在する状態をいう。

20 東京栄養サミット 2021 では、栄養不良の二重負荷を踏まえた議論が行われた。

21 開発途上国における 5 歳未満の子どもの低栄養の評価指標として、WHO の Z スコアがある。

22 小児における過栄養の問題は、開発途上国には存在しない。

23 開発途上国の妊婦には、ビタミン A 欠乏症が多くみられる。

○	持続可能な開発目標（SDGs）の策定は、国際連合（UN）が行う。（公衆 35-145）
○	「持続可能な開発目標（SDGs）」に先立ち、地球規模の環境問題に対する行動原則として、「持続可能な開発」を示した文書はリオ宣言である。（社会 34-9）
×	栄養不良の二重負荷（double burden of malnutrition）とは、低栄養と過剰栄養が混在する状態をいう。（公衆 34-140）
○	東京栄養サミット 2021 では、栄養不良の二重負荷を踏まえた議論が行われた。（公衆 38-145）
○	開発途上国における5歳未満の子どもの低栄養の評価指標として、WHO の Z スコアがある。（公衆 37-140）
×	小児における過栄養の問題は、開発途上国にも存在する。（公衆 34-140）
○	開発途上国の妊婦には、ビタミン A 欠乏症が多くみられる。（公衆 34-140）

WORD **05**

環境と健康

1 健康の「生物心理社会モデル」は、疾病の原因の解明を含む。

2 健康の「生物心理社会モデル」は、栄養ケア・マネジメントの基礎となる概念である。

3 健康の「生物心理社会モデル」において、対人関係によるストレスは、このモデルに含まれない。

4 水道水の水質基準では、pH の基準値が定められている。

5 水道法に基づく上水道の水質基準において、末端の給水栓では、消毒に用いた塩素が残留してはならない。

6 水道法に基づく上水道の水質基準において、一般細菌は、「1mL の検水で形成される集落数が 100 以下」となっている。

7 水道法に基づく上水道の水質基準において、総トリハロメタンは、「検出されないこと」となっている。

8 水道法に基づく上水道の水質基準において、臭気は、「無いこと」となっている。

9 上水道および水質に関して、クリプトスポリジウムは、塩素消毒で死滅する。

10 生物化学的酸素要求量が低いほど、水質は汚濁している。

11 活性汚泥法は、嫌気性微生物による下水処理法である。

12 放射線による人体への健康影響として、シーベルト（Sv）は、放射線の照射により人体が吸収するエネルギー量を示す単位である。

13 放射線による人体への健康影響として、ベクレル（Bq）は、人体に対する放射線の健康影響の大きさを示す単位である。

14 放射線による人体への健康影響として、白内障は、被ばく後に長い時間を経過してから発生する晩発障害である。

15 無重力環境下では、尿中カルシウム排泄量が減少する。

16 無重力環境では、骨吸収が亢進する。

17 無重力環境では、循環血液量が増加する。

18 高圧環境では、肺胞内の酸素分圧が低下する。

出題科目 ▶ 社会 人体 応用

○ 健康の「生物心理社会モデル」は、疾病の原因の解明を含む。（社会 35-6）

○ 健康の「生物心理社会モデル」は、栄養ケア・マネジメントの基礎となる概念である。（社会 35-6）

☒ 健康の「生物心理社会モデル」において、対人関係によるストレスは、このモデルに含まれる。（社会 38-7）

○ 水道水の水質基準では、pH の基準値が定められている。（社会 37-3）

☒ 水道法に基づく上水道の水質基準において、末端の給水栓では、消毒に用いた塩素が残留しなくてはならない。（社会 36-3）

○ 水道法に基づく上水道の水質基準において、一般細菌は、「1mL の検水で形成される集落数が 100 以下」となっている。（社会 36-3）

☒ 水道法に基づく上水道の水質基準において、総トリハロメタンは、「0.1mg/L 以下であること」となっている。（社会 36-3）

☒ 水道法に基づく上水道の水質基準において、臭気は、「異常でないこと」となっている。（社会 36-3）

☒ 上水道および水質に関して、クリプトスポリジウムは、塩素消毒で死滅しない。（社会 37-3）

☒ 生物化学的酸素要求量が高いほど、水質は汚濁している。（社会 37-3）

☒ 活性汚泥法は、好気性微生物による下水処理法である。（社会 34-10）

☒ 放射線による人体への健康影響として、シーベルト（Sv）は、人体に対する放射線の健康影響の大きさを示す単位である。（社会 38-2）

☒ 放射線による人体への健康影響として、ベクレル（Bq）は、放射能の強さを示す単位である。（社会 38-2）

○ 放射線による人体への健康影響として、白内障は、被ばく後に長い時間を経過してから発生する晩発障害である。（社会 38-2）

☒ 無重力環境下では、尿中カルシウム排泄量が増加する。（応用 34-97）

○ 無重力環境では、骨吸収が亢進する。（応用 37-97）

☒ 無重力環境では、循環血液量が減少する。（応用 36-97）

☒ 高圧環境では、肺胞内の酸素分圧が上昇する。（応用 37-97）

WORD **05**

19 低圧環境では、肺胞内酸素分圧が低下する。

20 低圧環境では、食欲が亢進する。

21 低酸素環境下で、赤血球数は増加する。

22 低温環境では、基礎代謝量が低下する。

23 低温環境では、アドレナリン分泌が抑制される。

24 高温環境では、アルドステロン分泌量が減少する。

25 高温環境では、皮膚血管が収縮する。

26 暑熱環境下では、皮膚血流量は、減少する。

27 暑熱環境下では、バソプレシン分泌量は、増加する。

28 熱中症予防のための指標として、湿球黒球温度（WBGT）がある。

29 熱中症で意識障害がみられたら、熱中症Ⅰ度と判定する。

30 熱中症でめまい、立ちくらみがみられたら、熱中症Ⅲ度と判定する。

31 ストレス応答の抵抗期では、エネルギー代謝は低下する。

32 ストレス応答の抵抗期では、糖新生は亢進する。

33 ストレス時（抵抗期）の生体反応に関して、脂肪の合成は亢進する。

34 ストレス応答の抵抗期では、窒素出納は正に傾く。

35 ストレス応答の抵抗期では、尿中カルシウム排泄量は減少する。

- ◯ 低圧環境では、肺胞内酸素分圧が低下する。（応用　36-97）
- ☒ 低圧環境では、食欲が抑制される。（応用　37-97）
- ◯ 低酸素環境下で、赤血球数は増加する。（人体　35-38）
- ☒ 低温環境では、基礎代謝量が増加する。（応用　36-97）
- ☒ 低温環境では、アドレナリン分泌が促進される。（応用　36-97）
- ☒ 高温環境では、アルドステロン分泌量が増加する。（応用　37-97）
- ☒ 高温環境では、皮膚血管が拡張する。（応用　36-97）
- ☒ 暑熱環境下では、皮膚血流量は、増加する。（応用　38-97）
- ◯ 暑熱環境下では、バソプレシン分泌量は、増加する。（応用　38-97）
- ◯ 熱中症予防のための指標として、湿球黒球温度（WBGT）がある。（社会　37-2）
- ☒ 熱中症で意識障害がみられたら、熱中症Ⅲ度と判定する。（社会　37-2）
- ☒ 熱中症でめまい、立ちくらみがみられたら、熱中症Ⅰ度と判定する。（社会　37-2）
- ☒ ストレス応答の抵抗期では、エネルギー代謝は亢進する。（応用　37-96）
- ◯ ストレス応答の抵抗期では、糖新生は亢進する。（応用　37-96）
- ☒ ストレス時（抵抗期）の生体反応に関して、脂肪の合成は抑制される。（応用　35-96）
- ☒ ストレス応答の抵抗期では、窒素出納は負に傾く。（応用　37-96）
- ☒ ストレス応答の抵抗期では、尿中カルシウム排泄量は増加する。（応用　37-96）

WORD 05

出るトコ徹底分析！

特殊環境の影響

特殊環境下での生体反応

環境	生体反応	栄養補給
高圧	体表面からの熱放散や呼吸による熱損失が上昇するため、消費エネルギーが上がる 窒素ガスによる潜函病（減圧症）が問題となる	高エネルギー食とする
低圧（高地）	酸素が希薄となり、血中ヘモグロビン濃度が上昇し、頭痛や嘔吐、心悸亢進、呼吸困難などを引き起こす 空気中の酸素濃度や血中の酸素濃度が低下することにより、食欲が低下する	十分な水分補給と糖質を主としたエネルギー補給とする
無重力	起立耐性が低下するため、骨組織からカルシウムが溶出し、カルシウムの尿中排泄量が増加し、骨組織へのカルシウム沈着が減少する	カルシウム補給
高温	熱産生が低下し、発汗による熱放散が促進される アルドステロンの分泌が増加し、ナトリウムの再吸収が増加する バソプレシン（抗利尿ホルモン）分泌が増加し、尿量が減少する 皮膚血流量が増加する	十分な水分補給とナトリウム補給

環境	生体反応	栄養補給
低温	アドレナリン・ノルアドレナリン分泌の増加、ふるえやほかの筋運動による熱産生が増加し、血糖値の上昇、エネルギー消費量が増加する 皮膚血流量が低下し、熱の放散を抑制する 血圧は血管が収縮するため、上昇する	高脂肪食（熱産生に必要） 高糖質食＋ビタミンB_1、ビタミンB_2、ナイアシン、パントテン酸（エネルギー代謝に必要） 高たんぱく質食＋ビタミンC（ホルモン生成に必要）

それぞれの環境下での変化を
問われるので、覚えておきましょう！

WORD **06** 消化器系

1 味蕾は、全ての舌乳頭に存在する。

2 胃底部は、胃体部と幽門部の間にある。

3 食道は、胃の幽門に続く。

4 セクレチンは、胃酸分泌を促進する。

5 膵液の分泌は、内分泌である。

6 膵液は、回腸に分泌される。

7 リパーゼは、脂肪酸を分解する。

8 胆汁酸は、コレステロールから合成される。

9 胆汁酸は、胆嚢で合成される。

10 胆汁酸は、主に回腸で吸収される。

11 腸内細菌の作用を受けて生成された胆汁酸を、一次胆汁酸という。

12 コール酸は、二次胆汁酸に分類される。

13 胆道が閉塞すると、血中で間接ビリルビンが優位に増加する。

14 直接ビリルビンは、水溶性である。

15 S状結腸は、回腸と上行結腸の間にある。

16 GLP-1は、胃内容物の排出を促進する。

17 排便の中枢は、腰髄にある。

18 黄疸は、血中ビリルビン濃度の上昇による。

19 肝臓は、尿素を産生する。

20 胃食道逆流症では、下部食道括約筋機能の亢進がみられる。

21 胃食道逆流症では、カリウム制限を行う。

22 胃食道逆流症の栄養管理では、1回当たりの食事量を多くする。

☒ 味蕾は、茸状乳頭、有郭乳頭、葉状乳頭に存在する。（人体 37-27）

☒ 胃底部は、胃体部の上部にある。（人体 38-25）

☒ 食道は、胃の噴門に続く。（人体 34-28）

☒ セクレチンは、胃酸分泌を抑制する。（人体 38-25）

☒ 膵液の分泌は、外分泌である。（人体 36-22）

☒ 膵液は、十二指腸に分泌される。（人体 37-27）

☒ リパーゼは、中性脂肪（トリグリセリド）を分解する。（人体 35-20）

○ 胆汁酸は、コレステロールから合成される。（食べ物 37-75）

☒ 胆汁酸は、肝臓で合成される。（基礎 37-75）

○ 胆汁酸は、主に回腸で吸収される。（人体 36-27）

☒ 腸内細菌の作用を受けて生成された胆汁酸を、二次胆汁酸という。（基礎 37-75）

☒ コール酸は、一次胆汁酸に分類される。（基礎 37-75）

☒ 胆道が閉塞すると、血中で直接ビリルビンが優位に増加する。（人体 35-24）

○ 直接ビリルビンは、水溶性である。（人体 38-25）

☒ S状結腸は、下行結腸と直腸の間にある。（人体 37-27）

☒ GLP-1は、胃内容物の排出を遅延させる。（人体 37-27）

☒ 排便の中枢は、仙髄にある。（人体 36-27）

○ 黄疸は、血中ビリルビン濃度の上昇による。（人体 36-24）

○ 肝臓は、尿素を産生する。（人体 34-28）

☒ 胃食道逆流症では、下部食道括約筋機能の低下がみられる。（人体 38-26）

☒ 胃食道逆流症では、高脂肪食制限を行う。（臨床 35-123）

☒ 胃食道逆流症の栄養管理では、1回当たりの食事量を少なくする。（臨床 34-123）

WORD **06**

23 胃食道逆流症の栄養管理では、夕食後は1時間以内に就寝する。

24 胃食道逆流症の栄養管理では、胃瘻では半固形タイプの栄養剤を用いる。

25 ヘリコバクター・ピロリ菌感染は、萎縮性胃炎を起こす。

26 胃潰瘍で出血を起こすと、血液検査値ではPSA値が上昇する。

27 胃切除患者における経口補水は、術前2〜3時間まで可能である。

28 胃切除患者における術後の早期経腸栄養法の開始は、腸管バリア機能を障害する。

29 胃切除患者における早期ダンピング症候群では、低血糖症状が認められる。

30 早期ダンピング症候群は、インスリンの過剰分泌で起こる。

31 胃全摘により、骨粗鬆症が引き起こされる。

32 幽門側胃切除術の術後の栄養管理において注意すべき合併症は、腹部膨満感である。

33 たんぱく漏出性胃腸症では、たんぱく質を制限する。

34 大腸全摘術後は、水分制限をする。

35 回腸ストマ（人工肛門）の管理では、水分を制限する。

36 偽膜性腸炎では、水分を制限する。

37 潰瘍性大腸炎寛解期では、たんぱく質を制限する。

38 肝硬変では、血清コリンエステラーゼ値は上昇する。

39 NASHの確定診断には、肝生検が必要である。

40 C型慢性肝炎患者に対する鉄制限食の主な目的は、肝性脳症の予防である。

41 アルコール性肝炎では、血清γ-GT値は低下する。

☒ 胃食道逆流症の栄養管理では、食後2〜3時間は上半身を起こしていることが望ましい。（臨床　34-123）

○ 胃食道逆流症の栄養管理では、胃瘻では半固形タイプの栄養剤を用いる。（臨床　34-123）

○ ヘリコバクター・ピロリ菌感染は、萎縮性胃炎を起こす。（人体　38-26）

☒ 胃潰瘍で出血を起こすと、血液検査値では尿素窒素が上昇する。（臨床　35-130）

○ 胃切除患者における経口補水は、術前2〜3時間まで可能である。（臨床　37-134）

☒ 胃切除患者における術後の早期経腸栄養法の開始は、腸管バリア機能を維持する。（臨床　37-134）

☒ 胃切除患者における後期ダンピング症候群では、低血糖症状が認められる。（臨床　37-134）

☒ 後期ダンピング症候群は、インスリンの過剰分泌で起こる。（人体　38-26）

○ 胃全摘により、骨粗鬆症が引き起こされる。（臨床　34-134）

○ 幽門側胃切除術の術後の栄養管理において注意すべき合併症は、腹部膨満感である。（臨床　38-134）

☒ たんぱく漏出性胃腸症では、脂質を制限する。（臨床　38-123）

☒ 大腸全摘術後は、水分補給をする。（臨床　36-134）

☒ 回腸ストマ（人工肛門）の管理では、水分を制限しない。（臨床　37-122）

☒ 偽膜性腸炎では、水分を制限しない。（臨床　37-122）

☒ 潰瘍性大腸炎寛解期では、たんぱく質を制限しない。（臨床　37-122）

☒ 肝硬変では、血清コリンエステラーゼ値は低下する。（人体　37-28）

○ NASHの確定診断には、肝生検が必要である。（人体　37-28）

☒ C型慢性肝炎患者に対する鉄制限食の主な目的は、活性酸素の産生抑制である。（臨床　34-125）

☒ アルコール性肝炎では、血清γ-GT値は上昇する。（人体　37-28）

42 ウイルス性慢性肝炎は、B型肝炎ウイルスによるものが最も多い。

43 慢性膵炎代償期では、脂肪制限を行う。

44 急性膵炎の初期には、血清アミラーゼ値が低下する。

45 慢性膵炎代償期の再燃時には、血清リパーゼ値が低下する。

46 慢性膵炎の代償期の間欠期では、たんぱく質摂取量を0.8g/kg標準体重/日とする。

47 慢性膵炎非代償期には、脂肪摂取量の制限を緩和できる。

48 慢性膵炎の非代償期では、インスリン分泌が低下する。

49 胆石症では、糖質制限を行う。

50 胆のう炎では、脂肪を制限する。

51 消化吸収率とは、摂取した栄養素が吸収された割合を示す。

52 見かけの消化吸収率は、摂取量から糞中内因性排泄量を差し引いて求める。

53 真の消化吸収率は、見かけの消化吸収率より高い。

出るトコ徹底分析！

消化吸収率

計算式

$$見かけの消化吸収率(\%)=\frac{摂取量-糞中排泄量}{摂取量}\times 100$$

$$真の消化吸収率(\%)=\frac{摂取量-(糞中排泄量-内因性損失量)}{摂取量}\times 100$$

☒ ウイルス性慢性肝炎は、C型肝炎ウイルスによるものが最も多い。（人体 37-28）

◯ 慢性膵炎代償期では、脂肪制限を行う。（臨床 35-123）

☒ 急性膵炎の初期には、血清アミラーゼ値が上昇する。（臨床 36-123）

☒ 慢性膵炎代償期の再燃時には、血清リパーゼ値が上昇する。（臨床 36-123）

☒ 慢性膵炎の代償期の間欠期では、たんぱく質摂取量を制限しない。（臨床 37-124）

◯ 慢性膵炎非代償期には、脂肪摂取量の制限を緩和できる。（臨床 36-123）

◯ 慢性膵炎の非代償期では、インスリン分泌が低下する。（臨床 37-124）

☒ 胆石症では、脂質制限を行う。（臨床 35-123）

◯ 胆のう炎では、脂肪を制限する。（臨床 38-123）

◯ 消化吸収率とは、摂取した栄養素が吸収された割合を示す。（基礎 36-70）

☒ 見かけの消化吸収率は、摂取量から糞中排泄量を差し引いて求める。（基礎 36-70）

◯ 真の消化吸収率は、見かけの消化吸収率より高い。（基礎 36-70）

内因性損失量とは消化液や腸内細菌など食事に由来せず、もともと体内にあったものが糞中に排泄された成分量のことです。
真の消化吸収率は見かけの消化吸収率より値が高くなることも覚えておきましょう！

WORD 07

循環器系

1 僧帽弁は、2枚の弁尖からなる。

2 3本の冠状動脈が、大動脈から分枝する。

3 心電図のP波は、心室の興奮を示す。

4 安静時の心拍出量は、成人で約20L/分である。

5 ANP（心房性ナトリウム利尿ペプチド）は、血管を収縮させる。

6 仮面高血圧では、家庭血圧は正常である。

7 腎血管性高血圧は、本態性高血圧である。

8 褐色細胞腫は、本態性高血圧の原因となる。

9 高血圧症のリスク因子として、カリウムの過剰摂取がある。

10 深部静脈血栓症は、肺塞栓のリスク因子である。

11 心室細動は、致死性不整脈である。

12 慢性心不全では、脳性ナトリウム利尿ペプチド（BNP）は、重症化とともに低下する。

13 慢性心不全は、進行すると、悪液質となる。

14 慢性心不全は、水分摂取量は50mL/kg標準体重/日とする。

15 うっ血性心不全患者において、前負荷を減らす栄養管理は、食塩制限である。

16 うっ血性心不全が増悪した時、心胸郭比は小さくなる。

17 うっ血性心不全が増悪した時、交感神経系は抑制される。

18 うっ血性心不全が増悪した時、血漿BNP（脳性ナトリウム利尿ペプチド）値は上昇する。

19 心不全では、血中BNP（脳性ナトリウム利尿ペプチド）値が低下する。

20 右心不全では、肺うっ血が生じる。

- ◯ 僧帽弁は、2枚の弁尖からなる。（人体　38-27）
- ☒ 2本の冠状動脈が、大動脈から分枝する。（人体　38-27）
- ☒ 心電図のP波は、心房の興奮を示す。（人体　38-27）
- ☒ 安静時の心拍出量は、成人で約5L/分である。（人体　38-27）
- ☒ ANP（心房性ナトリウム利尿ペプチド）は、血管を拡張させる。（人体　38-27）
- ☒ 仮面高血圧では、診察室血圧は正常である。（人体　36-30）
- ☒ 腎血管性高血圧は、二次性高血圧である。（人体　37-30）
- ☒ 褐色細胞腫は、二次性高血圧の原因となる。（人体　38-28）
- ☒ 高血圧症のリスク因子として、ナトリウムの過剰摂取がある。（社会　37-9）
- ◯ 深部静脈血栓症は、肺塞栓のリスク因子である。（人体　36-30）
- ◯ 心室細動は、致死性不整脈である。（人体　37-30）
- ☒ 慢性心不全では、脳性ナトリウム利尿ペプチド（BNP）は、重症化とともに増加する。（臨床　35-124）
- ◯ 慢性心不全は、進行すると、悪液質となる。（臨床　35-124）
- ☒ 慢性心不全は、水分摂取量は15～20mL/kg標準体重/日とする。（臨床　35-124）
- ◯ うっ血性心不全患者において、前負荷を減らす栄養管理は、食塩制限である。（臨床　36-124）
- ☒ うっ血性心不全が増悪した時、心胸郭比は大きくなる。（臨床　34-127）
- ☒ うっ血性心不全が増悪した時、交感神経系は亢進される。（臨床　34-127）
- ◯ うっ血性心不全が増悪した時、血漿BNP（脳性ナトリウム利尿ペプチド）値は上昇する。（臨床　34-127）
- ☒ 心不全では、血中BNP（脳性ナトリウム利尿ペプチド）値が上昇する。（人体　37-30）
- ☒ 左心不全では、肺うっ血が生じる。（人体　36-30）

WORD 07

21 腹水は、右心不全により出現する。

22 新規発症した狭心症は、安定狭心症である。

23 狭心症では、心筋壊死が生じる。

24 急性心筋梗塞では、血中クレアチンキナーゼ（CK）値が上昇する。

25 下肢の閉塞性動脈硬化症は、肺塞栓のリスク因子である。

26 脳梗塞のリスク因子として、血清総コレステロールの低値がある。

27 糖尿病は、虚血性心疾患の危険因子である。

28 虚血性心疾患のリスク因子として、血清 LDL コレステロールの低値がある。

29 non-HDL コレステロール低値は、虚血性心疾患の危険因子である。

30 浮腫では、細胞間液（間質液）量が変化しない。

- ○ 腹水は、右心不全により出現する。（人体　34-25）
- ☒ 新規発症した狭心症は、不安定狭心症である。（人体　38-28）
- ☒ 心筋梗塞では、心筋壊死が生じる。（人体　37-30）
- ○ 急性心筋梗塞では、血中クレアチンキナーゼ（CK）値が上昇する。（人体　38-28）
- ☒ 下肢の静脈血栓は、肺塞栓のリスク因子である。（人体　38-28）
- ☒ 脳梗塞のリスク因子として、血清総コレステロールの高値がある。（社会　37-9）
- ○ 糖尿病は、虚血性心疾患の危険因子である。（社会　36-10）
- ☒ 虚血性心疾患のリスク因子として、血清 LDL コレステロールの高値がある。（社会　37-9）
- ☒ non-HDL コレステロール高値は、虚血性心疾患の危険因子である。（社会　36-10）
- ☒ 浮腫では、細胞間液（間質液）量が増加する。（基礎　34-79）

出るトコ徹底分析！

高血圧治療ガイドライン

「高血圧治療ガイドライン 2019」

●成人における血圧値の分類

分類	診察室血圧（mmHg）		
	収縮期血圧		拡張期血圧
正常血圧	<120	かつ	<80
正常高値血圧	120-129	かつ	<80
高値血圧	130-139	かつ/または	80-89
Ⅰ度高血圧	140-159	かつ/または	90-99
Ⅱ度高血圧	160-179	かつ/または	100-109
Ⅲ度高血圧	≧180	かつ/または	≧110
（孤立性）収縮期高血圧	≧140	かつ	<90

分類	家庭血圧（mmHg）		
	収縮期血圧		拡張期血圧
正常血圧	<115	かつ	<75
正常高値血圧	115-124	かつ	<75
高値血圧	125-134	かつ/または	75-84
Ⅰ度高血圧	135-144	かつ/または	85-89
Ⅱ度高血圧	145-159	かつ/または	90-99
Ⅲ度高血圧	≧160	かつ/または	≧100
（孤立性）収縮期高血圧	≧135	かつ	<85

出典：日本高血圧学会高血圧治療ガイドライン作成委員会「高血圧治療ガイドライン2019」ライフサイエンス出版、18頁、表2-5

WORD **08**

腎・尿路系

1 尿の pH の変動は、血液の pH の変動より大きい。

2 クレアチニンは、糸球体で濾過される。

3 1 日当たりの糸球体濾過量は、約 1.5L である。

4 eGFR の算出には、24 時間蓄尿が必要である。

5 推算糸球体濾過量（eGFR）の算出には、血清クレアチニン値を用いる。

6 糸球体を流れる血液は、静脈血である。

7 尿細管は、糸球体とボーマン嚢で構成される。

8 尿細管は、腎盂から膀胱までの尿路である。

9 ヘンレ係蹄は、遠位尿細管と集合管との間に存在する。

10 エリスロポエチンは、膀胱から分泌される。

11 レニンの分泌は、循環血漿量が減少すると抑制される。

12 イヌリンは、尿細管で再吸収される。

13 尿崩症では、高張尿がみられる。

14 急性糸球体腎炎では、エネルギーを制限する。

15 急性糸球体腎炎の多くは、A 群β溶血性連鎖球菌感染が関与する。

16 出血性ショックは、腎後性の急性腎障害（AKI）の原因になる。

17 IgA 腎症は、尿細管への IgA の沈着を特徴とする。

18 ネフローゼ症候群では、血清 LDL コレステロール値は低下する。

19 腎機能が低下すると、腎臓での重炭酸イオンの再吸収が促進される。

20 呼吸性アシドーシスでは、腎臓から水素イオン（H^+）の排泄が促進される。

◯ 尿の pH の変動は、血液の pH の変動より大きい。（人体 37-31）

◯ クレアチニンは、糸球体で濾過される。（人体 38-29）

☒ 1 日当たりの糸球体濾過量は、約 150L である。（人体 37-31）

☒ 糸球体濾過量（GFR）の算出には、24 時間蓄尿が必要である。（人体 37-31）

◯ 推算糸球体濾過量（eGFR）の算出には、血清クレアチニン値を用いる。（臨床 34-129）

☒ 糸球体を流れる血液は、動脈血である。（人体 35-31）

☒ 腎小体は、糸球体とボーマン嚢で構成される。（人体 38-29）

☒ 尿管は、腎盂から膀胱までの尿路である。（人体 35-31）

☒ ヘンレ係蹄は、近位尿細管と遠位尿細管との間に存在する。（人体 38-29）

☒ エリスロポエチンは、腎臓から分泌される。（人体 36-31）

☒ レニンの分泌は、循環血漿量が減少すると促進される。（人体 37-31）

☒ イヌリンは、尿細管で再吸収されない。（人体 38-29）

☒ 尿崩症では、低張尿がみられる。（人体 35-33）

☒ 急性糸球体腎炎では、たんぱく質を制限する。（臨床 36-126）

◯ 急性糸球体腎炎の多くは、A 群β溶血性連鎖球菌感染が関与する。（人体 38-30）

☒ 出血性ショックは、腎前性の急性腎障害（AKI）の原因になる。（人体 38-30）

☒ IgA 腎症は、腎糸球体への IgA の沈着を特徴とする。（臨床 38-128）

☒ ネフローゼ症候群では、血清 LDL コレステロール値は上昇する。（人体 37-32）

☒ 腎機能が低下すると、腎臓での重炭酸イオンの再吸収が抑制される。（人体 37-22）

◯ 呼吸性アシドーシスでは、腎臓から水素イオン（H^+）の排泄が促進される。（人体 37-22）

WORD **08**

21 ケトン体が増加すると、代謝性アルカローシスになる。

22 慢性腎不全では、低リン血症がみられる。

23 慢性腎不全では、血中1α,25-ジヒドロキシビタミンD値が低下する。

24 直近5年間で新規に透析が導入された原因の1位は、糖尿病腎症である。

25 糖尿病性腎症病期分類での早期腎症期は、顕性アルブミン尿陽性である。

26 糖尿病腎症第4期では、エネルギー摂取量を25～35kcal/kg目標体重/日とする。

27 CKD患者に対するたんぱく質制限（0.8～1.0g/kg標準体重/日）は、糸球体過剰濾過を防ぐ効果がある。

28 CKD患者に対するたんぱく質制限（0.8～1.0g/kg標準体重/日）は、重症度分類ステージG1の患者に適用される。

29 CKD患者に対するたんぱく質制限（0.8～1.0g/kg標準体重/日）は、エネルギー摂取量を20kcal/kg標準体重/日とする。

30 CKD患者に対するたんぱく質制限（0.8～1.0g/kg標準体重/日）は、アミノ酸スコアの低い食品を利用する。

31 血液透析患者の1日当たりの目標摂取エネルギーは、25kcal/kg標準体重とする。

32 血液透析患者の1日当たりのたんぱく質の目標摂取量は、1.5g/kg標準体重とする。

33 血液透析患者の1日当たりのカリウムの目標摂取量は、3,000mgとする。

34 血液透析患者の1日当たりのリンの目標摂取量は、たんぱく質量(g)×15mgとする。

35 腹膜透析液のグルコース濃度は、血中のグルコース濃度より高い。

☒ ケトン体が増加すると、代謝性アシドーシスになる。（人体　37-22）

☒ 慢性腎不全では、高リン血症がみられる。（人体　37-32）

○ 慢性腎不全では、血中1α,25-ジヒドロキシビタミンD値が低下する。（臨床　36-126）

○ 直近5年間で新規に透析が導入された原因の1位は、糖尿病腎症である。（社会　38-11）

☒ 糖尿病性腎症病期分類での早期腎症期は、微量アルブミン尿陽性である。（人体　37-32）

○ 糖尿病腎症第4期では、エネルギー摂取量を25〜35kcal/kg目標体重/日とする。（臨床　38-128）

○ CKD患者に対するたんぱく質制限（0.8〜1.0g/kg標準体重/日）は、糸球体過剰濾過を防ぐ効果がある。（臨床　35-125）

☒ CKD患者に対するたんぱく質制限（0.8〜1.0g/kg標準体重/日）は、重症度分類ステージG3aの患者に適用される。（臨床　35-125）

☒ CKD患者に対するたんぱく質制限（0.8〜1.0g/kg標準体重/日）は、エネルギー摂取量を25〜35kcal/kg標準体重/日とする。（臨床　35-125）

☒ CKD患者に対するたんぱく質制限（0.8〜1.0g/kg標準体重/日）は、アミノ酸スコアの高い食品を利用する。（臨床　35-125）

☒ 血液透析患者の1日当たりの目標摂取エネルギーは、30〜35kcal/kg標準体重とする。（臨床　37-127）

☒ 血液透析患者の1日当たりのたんぱく質の目標摂取量は、0.9〜1.2g/kg標準体重とする。（臨床　37-127）

☒ 血液透析患者の1日当たりのカリウムの目標摂取量は、2,000mg以下とする。（臨床　37-127）

○ 血液透析患者の1日当たりのリンの目標摂取量は、たんぱく質量(g)×15mgとする。（臨床　37-127）

○ 腹膜透析液のグルコース濃度は、血中のグルコース濃度より高い。（人体　37-32）

WORD 08

出るトコ徹底分析！

慢性腎臓病（CKD）の定義とステージ分類

慢性腎臓病（CKD）の定義

① 尿異常、画像診断、病理で腎障害の存在が明らか（特に0.15g/gCr以上のたんぱく尿の存在が重要）

② GFR ＜60mL/分/1.73㎡（糸球体濾過量）

↓

①②のいずれか、または両方が3か月以上持続する

慢性腎臓病（CKD）の重症度評価

C 原因 Cause

G 腎機能 GFR

A たんぱく尿 アルブミン尿

CKDの重症度は「CGA分類」で評価

CKD の重症度分類

（KDIGO CKD guideline 2012 を日本人用に改変）

原疾患		蛋白尿区分		A1	A2	A3
糖尿病関連腎臓病		尿アルブミン定量（mg/日） 尿アルブミン/Cr 比（mg/gCr）		正常	微量アルブミン尿	顕性アルブミン尿
				30未満	30～299	300以上
高血圧性腎硬化症 腎炎 多発性嚢胞腎 移植腎 不明　その他		尿蛋白定量（g/日） 尿蛋白/Cr 比（g/gCr）		正常	軽度蛋白尿	高度蛋白尿
				0.15未満	0.15～0.49	0.50以上
GFR 区分 （mL/分/ 1.73m²）	G1	正常または高値	≧90			
	G2	正常または軽度低下	60～89			
	G3a	軽度～中等度低下	45～59			
	G3b	中等度～高度低下	30～44			
	G4	高度低下	15～29			
	G5	高度低下～末期腎不全	＜15			

重症度は原疾患・GFR 区分・蛋白尿区分を合わせたステージにより評価する。CKD の重症度は死亡、末期腎不全、CVD 死亡発症のリスクを■のステージを基準に、■、■、■の順にステージが上昇するほどリスクは上昇する。

注）わが国の保険診療では、アルブミン尿の定量測定は、糖尿病または糖尿病性早期腎症であって微量アルブミン尿を疑う患者に対し、3 カ月に 1 回に限り認められている。糖尿病において、尿定性で1＋以上の明らかな尿蛋白を認める場合は尿アルブミン測定は保険で認められていないため、治療効果を評価するために定量検査を行う場合は尿蛋白定量を検討する。

（日本腎臓学会編『CKD 診療ガイド2012』東京医学社、3 頁、2012年を一部改変）

出典：日本腎臓学会編『CKD 診療ガイド2024』東京医学社、8 頁、2024年

CKDステージによる食事療法基準

ステージ（GFR）	エネルギー（kcal/kgBW/日）	たんぱく質（g/kgBW/日）	食塩（g/日）	カリウム（mg/日）
ステージ1（GFR≧90）	25～35	過剰な摂取をしない	3≦　＜6	制限なし
ステージ2（GFR60～89）		過剰な摂取をしない		制限なし
ステージ3a（GFR45～59）		0.8～1.0		制限なし
ステージ3b（GFR30～44）		0.6～0.8		≦2,000
ステージ4（GFR15～29）		0.6～0.8		≦1,500
ステージ5（GFR＜15）		0.6～0.8		≦1,500
5D（透析治療中）	別表参照			

注）エネルギーや栄養素は、適正な量を設定するために、合併する疾患（糖尿病、肥満など）のガイドラインなどを参照して病態に応じて調整する。性別、年齢、身体活動度などにより異なる。
注）体重は基本的に標準体重（BMI＝22）を用いる。

●別表

ステージ5D	エネルギー（kcal/kgBW/日）	たんぱく質（g/kgBW/日）	食塩（g/日）	水分	カリウム（mg/日）	リン（mg/日）
血液透析（週3回）	30～35[注1、2)	0.9～1.2[注1)	＜6[注3)	できるだけ少なく	≦2,000	≦たんぱく質（g）×15
腹膜透析	30～35[注1、2、4)	0.9～1.2[注1)	PD除水量（L）×7.5＋尿量（L）×5	PD除水量＋尿量	制限なし[注5)	≦たんぱく質（g）×15

注1）体重は基本的に標準体重（BMI＝22）を用いる。
注2）性別、年齢、合併症、身体活動度により異なる。
注3）尿量、身体活動度、体格、栄養状態、透析間体重増加を考慮して適宜調整する。
注4）腹膜吸収ブドウ糖からのエネルギー分を差し引く。
注5）高カリウム血症を認める場合には血液透析同様に制限する。
出典：日本腎臓学会編『慢性腎臓病に対する食事療法基準2014年版』東京医学社、2頁、2014年

WORD 09

内分泌系

1 原発性アルドステロン症では、レニン値の上昇がみられる。

2 原発性甲状腺機能低下症では、血清クレアチンキナーゼ（CK）値の上昇がみられる。

3 原発性副甲状腺機能亢進症では、血清リン値が低下する。

4 甲状腺機能亢進症では、エネルギーの摂取量を制限する。

5 甲状腺機能亢進症では、たんぱく質の摂取量を制限する。

6 抗利尿ホルモン不適合分泌症候群（SIADH）では、高ナトリウム血症がみられる。

7 先端巨大症では、血中成長ホルモン値が低値である。

8 橋本病では、ヨウ素の摂取量を制限する。

9 橋本病では、LDL コレステロール値の低下がみられる。

10 橋本病では、血中総コレステロール値が低下する。

11 橋本病では、浮腫を認める。

12 橋本病では、TSH 受容体抗体陽性となる。

13 バセドウ病では、血中甲状腺ホルモン値が低値である。

14 クッシング症候群では、ナトリウムの摂取量を制限する。

15 クッシング症候群では、カリウム値の上昇がみられる。

16 クッシング症候群では、血清コレステロールが低下する。

17 クッシング病では、血中副腎皮質刺激ホルモン（ACTH）値が低下する。

18 アジソン病では、コルチゾールの分泌が増加する。

19 ドーパミンは、黒質の神経細胞で産生される。

20 ドーパミンは、プロラクチンの分泌を抑制する。

21 副腎皮質刺激ホルモン（ACTH）は、下垂体後葉から分泌される。

☒	原発性アルドステロン症では、レニン値の低下がみられる。（人体　36-33）
◯	原発性甲状腺機能低下症では、血清クレアチンキナーゼ（CK）値の上昇がみられる。（人体　34-32）
◯	原発性副甲状腺機能亢進症では、血清リン値が低下する。（人体　37-33）
☒	甲状腺機能亢進症では、エネルギーの摂取量を制限しない。（臨床　34-131）
☒	甲状腺機能亢進症では、たんぱく質の摂取量を制限しない。（臨床　34-131）
☒	抗利尿ホルモン不適合分泌症候群（SIADH）では、低ナトリウム血症がみられる。（人体　38-31）
☒	先端巨大症では、血中成長ホルモン値が高値である。（人体　38-31）
☒	橋本病では、ヨウ素の過剰摂取を避ける。（臨床　34-131）
☒	橋本病では、LDL コレステロール値の上昇がみられる。（人体　36-33）
☒	橋本病では、血中総コレステロール値が上昇する。（臨床　38-131）
◯	橋本病では、浮腫を認める。（臨床　38-131）
☒	バセドウ病では、TSH 受容体抗体陽性となる。（臨床　38-131）
☒	バセドウ病では、血中甲状腺ホルモン値が高値である。（臨床　38-131）
◯	クッシング症候群では、ナトリウムの摂取量を制限する。（臨床　34-131）
☒	クッシング症候群では、カリウム値の低下がみられる。（人体　36-33）
☒	クッシング症候群では、骨密度が低下する。（臨床　35-127）
☒	クッシング病では、血中副腎皮質刺激ホルモン（ACTH）値が上昇する。（人体　38-31）
☒	アジソン病では、コルチゾールの分泌が低下する。（人体　37-33）
◯	ドーパミンは、黒質の神経細胞で産生される。（人体　38-21）
◯	ドーパミンは、プロラクチンの分泌を抑制する。（人体　38-31）
☒	副腎皮質刺激ホルモン（ACTH）は、下垂体前葉から分泌される。（人体　38-21）

WORD 09

22 卵胞刺激ホルモン（FSH）は、卵巣から分泌される。

23 黄体形成ホルモン（LH）は、排卵を抑制する。

24 副甲状腺ホルモン（PTH）は、カルシウムの再吸収を促進する。

25 ソマトスタチンは、インスリン分泌を促進する。

26 アルドステロンは、カリウムの再吸収を促進する。

27 アンジオテンシンIIは、アルドステロンの分泌を抑制する。

28 尿崩症では、バソプレシンの分泌が増加する。

29 バソプレシンは、水の再吸収を抑制する。

30 バソプレシンの分泌は、血漿浸透圧の上昇により減少する。

31 オキシトシンは、子宮筋を収縮させる。

32 カルシトニンは、骨吸収を促進する。

33 アドレナリンは、副腎皮質から分泌される。

34 アドレナリンは、脂肪分解に働く。

35 アドレナリンは、肝臓グリコーゲンの分解を促進する。

36 コレシストキニンは、膵リパーゼの分泌を促進する。

37 ガストリンは、下部食道括約筋弛緩に働く。

38 グレリンは、脂肪細胞から分泌される。

39 グレリンは、摂食抑制に働く。

40 血中グレリン値は、空腹時に低下する。

41 インスリンは、グリコーゲン分解に働く。

42 血糖値が上昇すると、グルカゴンの分泌が促進される。

43 食後は、グルカゴンの分泌が亢進する。

44 グルカゴンは、糖新生を抑制する。

45 アディポネクチンは、インスリン抵抗性を増大させる。

☒ 卵胞刺激ホルモン（FSH）は、下垂体前葉から分泌される。（人体　38-21）

☒ 黄体形成ホルモン（LH）は、排卵を促進する。（人体　38-31）

○ 副甲状腺ホルモン（PTH）は、カルシウムの再吸収を促進する。（人体　36-32）

☒ ソマトスタチンは、インスリン分泌を抑制する。（人体　37-26）

☒ アルドステロンは、カリウムの排泄を促進する。（人体　36-32）

☒ アンジオテンシンIIは、アルドステロンの分泌を促進する。（人体　34-30）

☒ 尿崩症では、バソプレシンの分泌が低下する。（人体　37-33）

☒ バソプレシンは、水の再吸収を促進する。（人体　36-32）

☒ バソプレシンの分泌は、血漿浸透圧の上昇により増加する。（人体　34-30）

○ オキシトシンは、子宮筋を収縮させる。（人体　35-37）

☒ カルシトニンは、骨形成を促進する。（人体　34-37）

☒ アドレナリンは、副腎髄質から分泌される。（人体　38-21）

○ アドレナリンは、脂肪分解に働く。（人体　36-26）

○ アドレナリンは、肝臓グリコーゲンの分解を促進する。（基礎　34-71）

○ コレシストキニンは、膵リパーゼの分泌を促進する。（基礎　35-70）

☒ ガストリンは、下部食道括約筋収縮に働く。（人体　36-26）

☒ グレリンは、胃から分泌される。（人体　34-26）

☒ グレリンは、摂食促進に働く。（人体　36-26）

☒ 血中グレリン値は、空腹時に上昇する。（人体　37-26）

☒ インスリンは、グリコーゲン合成に働く。（人体　36-26）

☒ 血糖値が上昇すると、グルカゴンの分泌が抑制される。（人体　36-22）

☒ 食後は、インスリンの分泌が亢進する。（基礎　37-71）

☒ グルカゴンは、糖新生を促進する。（人体　37-26）

☒ アディポネクチンは、インスリン感受性を増大させる。（人体　37-26）

WORD **09**

46 アディポネクチンの分泌は、メタボリックシンドロームで増加する。

47 レプチンは、主に線維芽細胞から分泌される。

48 レプチンは、食欲を抑制する。

49 肥満者では、レプチンの血中濃度が低下している。

50 レプチンは、エネルギー消費を抑制する。

51 レプチンの分泌量は、体脂肪量の影響を受ける。

52 体脂肪率が上昇すると、レプチン抵抗性が増大する。

53 成長ホルモンは、血糖低下に働く。

- ☒ アディポネクチンの分泌は、メタボリックシンドロームで減少する。（人体　34-26）
- ☒ レプチンは、主に脂肪細胞から分泌される。（基礎　38-69）
- ◯ レプチンは、食欲を抑制する。（人体　37-26）
- ☒ 肥満者では、レプチンの血中濃度が上昇している。（基礎　38-69）
- ☒ レプチンは、エネルギー消費を促進する。（基礎　38-69）
- ◯ レプチンの分泌量は、体脂肪量の影響を受ける。（基礎　35-69）
- ◯ 体脂肪率が上昇すると、レプチン抵抗性が増大する。（基礎　38-69）
- ☒ 成長ホルモンは、血糖上昇に働く。（人体　36-26）

WORD 09

出るトコ徹底分析！

アディポサイトカイン、ホルモンの主な働き

アディポサイトカイン（脂肪細胞から分泌される生理活性物質（内分泌因子）の総称

善　玉	アディポネクチン （抗動脈硬化作用、抗炎症作用、インスリン感受性上昇など） レプチン（食欲調節、脂肪分解亢進）

ホルモンの主な働き

内分泌腺	ホルモン名
視床下部	成長ホルモン放出促進ホルモン（GRH） 成長ホルモン放出抑制ホルモン（GIH）ソマトスタチン プロラクチン放出ホルモン（PRH） プロラクチン抑制ホルモン（PIH） 甲状腺刺激ホルモン放出ホルモン（TRH） 副腎皮質刺激ホルモン放出ホルモン（CRH） 性腺刺激ホルモン放出ホルモン（GnRH） メラニン細胞刺激ホルモン放出ホルモン（MRH） メラニン細胞刺激ホルモン抑制ホルモン（MIH）
下垂体前葉	甲状腺刺激ホルモン（TSH） 副腎皮質刺激ホルモン（ACTH） 成長ホルモン（GH） 卵胞刺激ホルモン（FSH） 黄体形成ホルモン（LH） 黄体刺激ホルモン 乳腺刺激ホルモン（プロラクチン：PRL）

悪　玉	TNF-α（インスリン抵抗性惹起、血管壁の炎症惹起など） PAI-1（血栓形成促進） アンジオテンシノーゲン（血圧上昇） HB-EGF（血管平滑筋の増殖） レジスチン（インスリン抵抗性惹起）

主な働き
成長ホルモンの分泌促進 成長ホルモンの分泌抑制 プロラクチンの分泌促進 プロラクチンの分泌抑制 甲状腺刺激ホルモンの分泌促進 副腎皮質刺激ホルモンの分泌促進 性腺刺激ホルモンの分泌促進 メラニン細胞刺激ホルモンの分泌促進 メラニン細胞刺激ホルモンの分泌抑制
甲状腺ホルモンの分泌促進 副腎皮質ホルモンの分泌促進 成長の促進 卵胞の成熟促進、精子形成促進 FSH と共働し卵胞を成熟させ排卵を誘発 黄体形成の促進 成熟乳腺に作用し乳汁の分泌促進

ホルモンとその働きは
しっかりと覚えましょう！

WORD 09

出るトコ徹底分析！

アディポサイトカイン、ホルモンの主な働き（続き）

ホルモンの主な働き（続き）

内分泌腺		ホルモン名
下垂体中葉		メラニン細胞刺激ホルモン（MSH）
下垂体後葉		バソプレッシン（VP／AVP）【別名：ADH】 オキシトシン（OXT）
甲状腺		チロキシン（T4）【別名：サイロキシン】 トリヨードチロニン（T3）【別名：トリヨードサイロニン】 カルシトニン
上皮小体（副甲状腺）		パラソルモン（PTH）
副腎皮質		グルココルチコイドコルチゾール（ヒドロコルチゾン）【別名：糖質コルチコイド】 ミネラルコルチコイド（アルドステロン）【別名：鉱質コルチコイド】
副腎髄質		アドレナリン（A）【別名：エピネフリン】 ノルアドレナリン（NA）【別名：ノルエピネフリン】
膵臓ランゲルハンス島	α 細胞	グルカゴン
	β 細胞	インスリン
精巣		テストステロン
卵巣		エストロゲン プロゲステロン
心臓		心房性ナトリウム利尿ペプチド

主な働き
色素細胞の拡散
尿細管における水の再吸収促進 乳汁の排出（射乳）、子宮の収縮
基礎代謝の亢進、骨格筋や腎臓、肝臓におけるたんぱく質合成の増加、糖代謝や脂肪代謝の促進、骨組織での代謝促進、造血機能の促進 血液中のカルシウムイオン濃度低下
血液中のカルシウムイオン濃度上昇、尿中へのリン酸排出の促進、尿細管でのカルシウムの再吸収促進
血糖上昇作用、抗炎症作用、赤血球や血小板の増加、リンパ球の減少、利尿の促進、カテコールアミンやグルカゴンの作用に対して許容効果をもつ 尿細管におけるナトリウムイオンの再吸収促進、体液中の塩類平衡維持（細胞外液量の保持）
心拍数の増加、血糖上昇作用（肝臓や筋におけるグリコーゲン分解の促進）、平滑筋の弛緩、脂肪細胞における脂肪分解促進 末梢抵抗の増加による血圧上昇、血糖上昇作用、脂肪細胞における脂肪分解促進
肝臓におけるグリコーゲンやたんぱく質・脂肪の分解促進 骨格筋や心筋、脂肪細胞における糖の取り込み促進
男性第二次性徴の発現、たんぱく質同化作用、発育促進
女性第二次性徴の発現 月経周期
血管平滑筋の弛緩、血圧降下、血中アルドステロンの低下、レニン分泌の阻害

WORD

10 神経系

1 橋は、中脳と延髄の間にある。

2 くも膜は、脳の表面に密着している。

3 錐体路の神経線維の多くは、胸髄で交叉する。

4 体温調節中枢は、視床にある。

5 飲水中枢は、視床にある。

6 呼吸中枢は、中脳にある。

7 心臓血管中枢は、小脳にある。

8 排便反射の中枢は、仙髄にある。

9 視床下部の視交叉上核は、日内リズムを調節する。

10 顔面神経は、舌の運動を支配する。

11 味覚は、三叉神経により伝えられる。

12 咬筋は、顔面神経支配である。

13 交感神経と心筋の間の神経伝達物質は、アセチルコリンである。

14 交感神経の興奮は、瞳孔を縮小させる。

15 交感神経の興奮で、気管支は収縮する。

16 交感神経の興奮で、肝臓のグリコーゲン分解は抑制される。

17 交感神経の興奮で、皮膚の血管は拡張する。

18 交感神経の興奮で、発汗する。

19 気管支平滑筋は、副交感神経の興奮で弛緩する。

20 副交感神経の興奮は、血圧を上昇させる。

21 副交感神経の興奮は、消化管運動を抑制する。

22 迷走神経は、副交感神経線維を含む。

23 迷走神経は、脊髄神経である。

24 迷走神経の興奮は、胃酸の分泌を促進する。

- ○ 橋は、中脳と延髄の間にある。（人体　38-32）
- ☒ 軟膜は、脳の表面に密着している。（人体　37-34）
- ☒ 錐体路の神経線維の多くは、延髄で交叉する。（人体　38-32）
- ☒ 体温調節中枢は、視床下部にある。（人体　37-34）
- ☒ 飲水中枢は、視床下部にある。（人体　38-32）
- ☒ 呼吸中枢は、延髄にある。（人体　37-34）
- ☒ 心臓血管中枢は、延髄にある。（人体　35-29）
- ○ 排便反射の中枢は、仙髄にある。（人体　37-34）
- ○ 視床下部の視交叉上核は、日内リズムを調節する。（基礎　34-68）
- ☒ 舌下神経は、舌の運動を支配する。（人体　38-32）
- ☒ 味覚は、顔面神経と舌咽神経により伝えられる。（人体　36-27）
- ☒ 咬筋は、三叉神経支配である。（人体　35-36）
- ☒ 交感神経と心筋の間の神経伝達物質は、ノルアドレナリンである。（人体　35-22）
- ☒ 交感神経の興奮は、瞳孔を散大させる。（人体　38-32）
- ☒ 交感神経の興奮で、気管支は拡張する。（人体　36-34）
- ☒ 交感神経の興奮で、肝臓のグリコーゲン分解は促進される。（人体　36-34）
- ☒ 交感神経の興奮で、皮膚の血管は収縮する。（人体　36-34）
- ○ 交感神経の興奮で、発汗する。（人体　36-34）
- ☒ 気管支平滑筋は、副交感神経の興奮で収縮する。（人体　37-35）
- ☒ 副交感神経の興奮は、血圧を低下させる。（人体　35-30）
- ☒ 副交感神経の興奮は、消化管運動を亢進する。（人体　36-22）
- ○ 迷走神経は、副交感神経線維を含む。（人体　35-34）
- ☒ 迷走神経は、脳神経である。（人体　35-34）
- ○ 迷走神経の興奮は、胃酸の分泌を促進する。（人体　37-27）

25 てんかん食は、高炭水化物・低たんぱく質食である。

26 てんかん食の摂取により、血中 3-ヒドロキシ酪酸値が低下する。

27 てんかん食の摂取により、血液 pH が上昇する。

28 脳血管性認知症では、感情失禁がみられる。

29 アルツハイマー病では、まだら認知症がみられる。

30 アルツハイマー病では、症状が階段状に進行する。

31 認知機能障害の評価法には、MMSE がある。

出るトコ徹底分析！

認知症、パーキンソン病

主な認知症

	アルツハイマー型認知症	レビー小体型認知症	前頭側頭型認知症	脳血管性認知症
原因となる病気	脳の変性疾患			脳梗塞、脳出血、くも膜下出血などによる脳血管障害
症状の進行	緩やかに進行			階段状に進行
主な特徴	・最も患者数が多い ・海馬を中心に萎縮、「老人斑」がみられる ・認知機能障害（記憶障害、見当識障害など） ・物とられ妄想 ・徘徊	・脳の神経細胞にレビー小体（たんぱく質）がたまる ・幻視・妄想 ・パーキンソン病の症状がみられる ・認知機能の変動	・前頭葉、側頭葉を中心とした萎縮 ・性格変化（感情の鈍麻など） ・行動異常（社会性の欠如など）	・神経症状（言語障害、片麻痺、嚥下障害など） ・認知機能障害（まだら認知症） ・感情失禁

軽度認知症（MCI）：アルツハイマー病など認知症の前駆状態を意味する状態

可逆性認知症：治りうる認知症で、正常圧水頭症、甲状腺機能低下症、慢性硬膜下血腫などがある

神経梅毒、ヒト免疫不全ウイルス（HIV）、プリオンなどによる感染症が認知症の原因となることもある

☒ てんかん食は、低炭水化物・高脂肪食である。（臨床　35-117）

☒ てんかん食の摂取により、血中3-ヒドロキシ酪酸値が上昇する。（臨床　35-117）

☒ てんかん食の摂取により、血液pHが低下する。（臨床　35-117）

○ 脳血管性認知症では、感情失禁がみられる。（人体　34-33）

☒ 脳血管性認知症では、まだら認知症がみられる。（人体　34-33）

☒ アルツハイマー病では、症状が緩やかに進行する。（人体　34-33）

○ 認知機能障害の評価法には、MMSEがある。（応用　37-94）

パーキンソン病
中脳黒質のドパミン神経細胞が減少することで発症する神経変性疾患
50～60歳に多く、女性に多い
4大症状：安静時振戦、筋強剛（筋固縮）、無動・寡動、姿勢反射障害

それぞれの特徴が問われるので、
覚えておこう！！

出るトコ徹底分析！

神経の分類、交感神経と副交感神経の作用

神経の分類

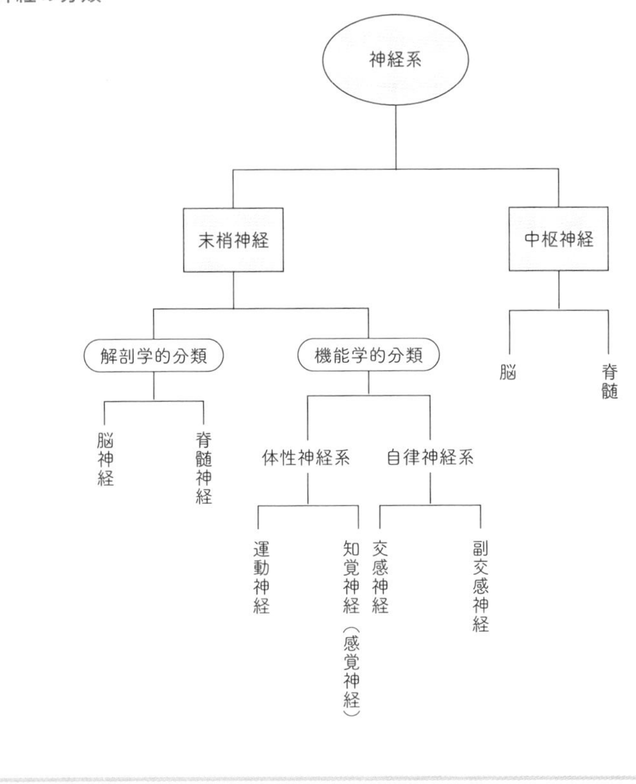

交感神経と副交感神経の作用

臓器	交感神経	副交感神経
瞳孔	拡大	縮小
血管	収縮	拡張
心臓	促進（運動させる）	抑制
血圧	上昇	下降
胃	抑制	促進
肝臓	抑制	促進
気管	拡張	収縮
子宮	収縮	拡張
小腸・大腸	抑制	促進

多くの器官や臓器では、交感神経と副交感神経が交互に作用しているの。
神経の作用により生じる変化がよく問われるわ！

WORD 11

呼吸器系

1 声帯は、咽頭にある。

2 右肺は、2葉からなる。

3 代謝性アシドーシスでは、呼吸数が減少する。

4 外肋間筋は、呼気時に収縮する。

5 横隔膜は、呼気時に収縮する。

6 I型肺胞細胞は、肺サーファクタントを産生する。

7 肺胞膜を介してのガス拡散能は、二酸化炭素より酸素が高い。

8 ヘモグロビンの酸素解離曲線は、pH が上昇すると右方向に移動する。

9 動脈血二酸化炭素分圧は、パルスオキシメータで測定する。

10 機能的残気量は、残気量と予備呼気量の和である。

11 肺活量は、1回換気量と予備吸気量と予備呼気量の和である。

12 肺胞で行われるガス交換を、内呼吸という。

13 外呼吸は、末梢組織における酸素と二酸化炭素のガス交換である。

14 肺がんは、女性に多い。

15 COPD（慢性閉塞性肺疾患）の病期分類には、肺活量が用いられる。

16 COPD では、1秒率は、上昇する。

17 COPD では、呼気時に口すぼめ呼吸がみられる。

18 COPD では、動脈血酸素分圧は、低下する。

19 COPD 患者の呼吸筋の酸素消費量は、減少する。

20 COPD 患者の骨密度は、低下する。

21 COPD 患者の BCAA 摂取量は、制限する。

☒ 声帯は、喉頭にある。（人体　38-33）

☒ 右肺は、3葉からなる。（人体　37-35）

☒ 代謝性アシドーシスでは、呼吸数が増加する。（人体　37-22）

☒ 外肋間筋は、吸気時に収縮する。（人体　34-34）

☒ 横隔膜は、吸気時に収縮する。（人体　37-35）

☒ Ⅱ型肺胞細胞は、肺サーファクタントを産生する。（人体　38-33）

☒ 肺胞膜を介してのガス拡散能は、二酸化炭素より酸素が低い。（人体　34-34）

☒ ヘモグロビンの酸素解離曲線は、pHが上昇すると左方向に移動する。（人体　38-33）

☒ 動脈血酸素飽和度は、パルスオキシメータで測定する。（人体　38-33）

◯ 機能的残気量は、残気量と予備呼気量の和である。（人体　38-33）

◯ 肺活量は、1回換気量と予備吸気量と予備呼気量の和である。（人体　37-35）

☒ 肺胞で行われるガス交換を、外呼吸という。（人体　35-35）

☒ 内呼吸は、末梢組織における酸素と二酸化炭素のガス交換である。（人体　37-35）

☒ 肺がんは、男性に多い。（人体　36-35）

☒ COPD（慢性閉塞性肺疾患）の病期分類には、対標準1秒量が用いられる。（人体　34-35）

☒ COPDでは、1秒率は、低下する。（臨床　36-129）

◯ COPDでは、呼気時に口すぼめ呼吸がみられる。（人体　38-34）

◯ COPDでは、動脈血酸素分圧は、低下する。（臨床　36-129）

☒ COPD患者の呼吸筋の酸素消費量は、増加する。（臨床　37-130）

◯ COPD患者の骨密度は、低下する。（臨床　37-130）

☒ COPD患者のBCAA摂取量は、増やす。（臨床　37-130）

22 重度に進行したCOPDでは、呼吸性アルカローシスがみられる。

23 アトピー型の気管支喘息は、成人以降に発症することが多い。

24 気管支喘息は、閉塞性肺障害を呈する。

25 気管支喘息の治療には、β遮断薬を用いる。

26 間質性肺炎では、閉塞性障害がみられる。

27 アスペルギルス肺炎は、ウイルスが原因である。

出るトコ徹底分析！

呼吸に関係する器官

慢性閉塞性肺疾患（COPD）について

主にタバコの煙などの有害物質が含まれる空気を長期間にわたり吸い込むことで発症する肺の炎症疾患。高齢者ほど罹患者が多い。

危険因子	喫煙、大気汚染等
症状	呼吸困難（息切れ）、慢性の咳・痰、喘鳴、体重減少、食欲不振、呼気の延長、口すぼめ呼吸等
診断	気管支拡張薬投与後、スパイロメトリーで1秒率が70％未満→必要条件 呼吸商の低下 安静時エネルギー消費量の増加 動脈血酸素分圧（PaO_2）の低下、二酸化炭素分圧（$PaCO_2$）の上昇 血清トランスサイレチン値や細胞性免疫能が栄養障害で低下
治療	禁煙 インフルエンザワクチンや肺炎球菌ワクチン接種推奨 薬物療法：気管支拡張薬（抗コリン薬、β_2刺激薬・テオフィリン薬）、吸入ステロイド薬、去痰薬 非薬物療法：呼吸リハビリテーション、運動療法、栄養療法、酸素療法等

☒ 重度に進行したCOPDでは、呼吸性アシドーシスがみられる。（人体 38-34）

☒ アトピー型の気管支喘息は、小児期に発症することが多い。（人体 38-34）

◯ 気管支喘息は、閉塞性肺障害を呈する。（人体 36-35）

☒ 気管支喘息の治療には、β刺激薬を用いる。（人体 38-34）

☒ 間質性肺炎では、拘束性障害がみられる。（人体 38-34）

☒ アスペルギルス肺炎は、真菌が原因である。（人体 36-35）

食事療法→高エネルギー、高たんぱく質が基本（マラスムス型栄養障害）

エネルギー	安静時エネルギー消費量の約1.5倍以上摂取（体重増加のため）
たんぱく質	高たんぱく質食 分岐鎖アミノ酸を積極的に摂る
その他	リン、カリウム、カルシウム、マグネシウムを積極的に摂る ビタミンD摂取も重要 食事の回数を増やし、ゆっくり食べる 水分をよく摂り、お腹にガスのたまる食品（イモ類、炭酸飲料など）は避ける

COPDの診断についてよく覚えておきましょう！

WORD 12

運動器系

1	ロコモティブシンドロームは、運動器の障害が原因で要介護になるリスクの高い状態のことである。
2	ロコモティブシンドロームの判定には、「2ステップテスト」が用いられる。
3	栄養不良に伴うサルコペニアは、一次性サルコペニアである。
4	加齢によるサルコペニアは、二次性サルコペニアという。
5	DXA（DEXA）法は、骨密度の評価に用いられる。
6	YAM（若年成人平均値）は、骨粗鬆症の診断に用いられる。
7	原発性骨粗鬆症は、脆弱性骨折がない場合には、骨密度が若年成人平均値（YAM）の80％以下で診断される。
8	脊椎椎体は、骨粗鬆症における骨折の好発部位である。
9	骨粗鬆症の予防には、やせの防止が重要である。
10	高リン血症は、骨軟化症の原因である。
11	骨軟化症は、ビタミンAの欠乏で生じる。
12	骨軟化症では、血清カルシウム値は基準範囲内である。
13	日光曝露の不足は、くる病の原因である。
14	くる病は、完全母乳栄養に比べて、混合栄養では発症リスクが高い。
15	くる病では、血清副甲状腺ホルモン値が低下する。
16	変形性膝関節症は、男性に多い疾患である。
17	骨吸収は、骨芽細胞によって行われる。
18	骨型アルカリフォスファターゼ（BAP）は、骨吸収マーカーである。
19	尿中デオキシピリジノリンは、骨形成マーカーである。
20	骨の主な有機質成分は、ケラチンである。
21	骨基質は、破骨細胞によって産生される。

- ○ ロコモティブシンドロームは、運動器の障害が原因で要介護になるリスクの高い状態のことである。（社会　36-11）
- ○ ロコモティブシンドロームの判定には、「2ステップテスト」が用いられる。（人体　38-36）
- × 栄養不良に伴うサルコペニアは、二次性サルコペニアである。（人体　38-36）
- × 加齢によるサルコペニアは、一次性サルコペニアという。（人体　34-23）
- ○ DXA（DEXA）法は、骨密度の評価に用いられる。（人体　37-36）
- ○ YAM（若年成人平均値）は、骨粗鬆症の診断に用いられる。（人体　36-36）
- × 原発性骨粗鬆症は、脆弱性骨折がない場合には、骨密度が若年成人平均値（YAM）の70%以下で診断される。（人体　38-36）
- ○ 脊椎椎体は、骨粗鬆症における骨折の好発部位である。（人体　37-36）
- ○ 骨粗鬆症の予防には、やせの防止が重要である。（社会　36-11）
- × 低リン血症は、骨軟化症の原因である。（人体　37-36）
- × 骨軟化症は、ビタミンDの欠乏で生じる。（人体　36-36）
- × 骨軟化症では、血清カルシウム値は低下することが多い。（人体　38-36）
- ○ 日光曝露の不足は、くる病の原因である。（人体　37-36）
- × くる病は、完全母乳栄養に比べて、混合栄養では発症リスクが低い。（臨床　34-133）
- × くる病では、血清副甲状腺ホルモン値が上昇する。（臨床　34-133）
- × 変形性膝関節症は、女性に多い疾患である。（社会　36-11）
- × 骨吸収は、破骨細胞によって行われる。（人体　38-35）
- × 骨型アルカリフォスファターゼ（BAP）は、骨形成マーカーである。（人体　36-36）
- × 尿中デオキシピリジノリンは、骨吸収マーカーである。（人体　36-36）
- × 骨の主な有機質成分は、コラーゲンである。（人体　38-35）
- × 骨基質は、破骨細胞によって分解される。（人体　36-36）

22 関節液は、ヒアルロン酸を含む。

23 筋原線維の主な構成成分は、コラーゲンである。

24 平滑筋細胞は、随意筋を構成する。

25 骨格筋は、不随意筋である。

26 白筋は、持続的な収縮に適している。

27 骨格筋のうち、速筋は遅筋に比べてミオグロビンを多く含む。

28 遅筋は、速筋よりトリグリセリド含量が少ない。

29 遅筋は、速筋よりグリコーゲン含量が多い。

30 遅筋は、速筋よりミトコンドリアに富む。

31 遅筋は、速筋より疲労しやすい。

32 遅筋は、速筋より無酸素運動に適している。

33 無酸素運動では、筋肉中の乳酸が減少する。

34 高強度(最大酸素摂取量の85%以上)の運動では、糖質が主なエネルギー供給源になる。

35 尿中クレアチニン排泄量は、全身の筋肉量と相関する。

36 尿中3-メチルヒスチジン排泄量は、骨格筋量の評価指標として用いられる。

37 グリコーゲンローディングは、瞬発力を必要とする短時間の競技に適している。

38 運動後のたんぱく質と炭水化物の摂取は、筋損傷の回復に効果的である。

- ○ 関節液は、ヒアルロン酸を含む。（人体　38-35）
- × 筋原線維の主な構成成分は、ミオシンとアクチンである。（人体　38-35）
- × 平滑筋細胞は、不随意筋を構成する。（人体　36-17）
- × 骨格筋は、随意筋である。（応用　35-95）
- × 白筋は、瞬発的な収縮に適している。（人体　34-36）
- × 骨格筋のうち、遅筋は速筋に比べてミオグロビンを多く含む。（人体 38-35）
- × 速筋は、遅筋よりトリグリセリド含量が少ない。（応用　38-95）
- × 速筋は、遅筋よりグリコーゲン含量が多い。（応用　38-95）
- ○ 遅筋は、速筋よりミトコンドリアに富む。（応用　38-95）
- × 速筋は、遅筋より疲労しやすい。（応用　38-95）
- × 速筋は、遅筋より無酸素運動に適している。（応用　38-95）
- × 無酸素運動では、筋肉中の乳酸が増加する。（応用　37-95）
- ○ 高強度（最大酸素摂取量の85％以上）の運動では、糖質が主なエネルギー供給源になる。（応用　37-95）
- ○ 尿中クレアチニン排泄量は、全身の筋肉量と相関する。（応用　36-82）
- ○ 尿中3-メチルヒスチジン排泄量は、骨格筋量の評価指標として用いられる。（応用　38-82）
- × グリコーゲンローディングは、持久力を必要とする長時間の競技に適している。（応用　38-96）
- ○ 運動後のたんぱく質と炭水化物の摂取は、筋損傷の回復に効果的である。（応用　38-96）

WORD **13**

生体エネルギーと代謝

1 ルブネル（Rubner M）は、呼吸が燃焼と同じ現象であることを証明した。

2 アトウォーター（Atwater WO）は、消化吸収率を考慮した栄養素の生理的熱量を提唱した。

3 ケルダール（Kjeldahl J）は、食事誘発性熱産生（DIT）を提唱した。

4 電子伝達系は、コエンザイムA（CoA）を含む。

5 電子伝達系では、二酸化炭素が産生される。

6 アポ酵素は、単独で酵素活性をもつ。

7 酵素は、化学反応の活性化エネルギーを増大させる。

8 酵素に関して、競合阻害では、反応の最大速度（Vmax）は低下する。

9 酵素に関して、競合阻害物質は、活性部位に結合する。

10 ミカエリス定数（Km）は、親和性の高い基質で大きくなる。

11 トリプシノーゲンは、リン酸化により活性化される。

12 筋収縮のエネルギーは、ATPの分解による。

13 ATPの産生は、同化の過程で起こる。

14 脱共役たんぱく質（UCP）は、熱産生を抑制する。

15 脱共役たんぱく質（UCP）は、ATPの産生を促進する。

16 酸化的リン酸化によるATP合成は、細胞質ゾルで行われる。

17 クレアチンリン酸は、高エネルギーリン酸化合物である。

18 体重1kg当たりの水分量は、体脂肪率が高い者の方が低い者より多い。

19 不感蒸泄は、発汗により失われる水である。

20 水分出納において、体内に入る水分量として計算する項目は、不感蒸泄量である。

☒ ラボアジェ（Lavoisier AL）は、呼吸が燃焼と同じ現象であることを証明した。（基礎 37-68）

○ アトウォーター（Atwater WO）は、消化吸収率を考慮した栄養素の生理的熱量を提唱した。（基礎 37-68）

☒ ルブネル（Rubner M）は、食事誘発性熱産生（DIT）を提唱した。（基礎 37-68）

☒ 電子伝達系は、コエンザイムQ（CoQ）を含む。（人体 36-20）

☒ 電子伝達系では、水が産生される。（人体 38-19）

☒ ホロ酵素は、単独で酵素活性をもつ。（人体 35-20）

☒ 酵素は、化学反応の活性化エネルギーを低下させる。（人体 37-20）

☒ 酵素に関して、競合阻害では、反応の最大速度（Vmax）は変わらない。（人体 37-20）

○ 酵素に関して、競合阻害物質は、活性部位に結合する。（人体 37-20）

☒ ミカエリス定数（Km）は、親和性の高い基質で小さくなる。（人体 37-20）

☒ トリプシノーゲンは、エンテロキナーゼにより活性化される。（人体 37-20）

○ 筋収縮のエネルギーは、ATPの分解による。（人体 35-36）

☒ ATPの産生は、異化の過程で起こる。（人体 38-19）

☒ 脱共役たんぱく質（UCP）は、熱産生を促進する。（人体 36-20）

☒ 脱共役たんぱく質（UCP）は、ATPの産生を阻害する。（人体 38-19）

☒ 酸化的リン酸化によるATP合成は、ミトコンドリアで行われる。（人体 34-20）

○ クレアチンリン酸は、高エネルギーリン酸化合物である。（人体 38-19）

☒ 体重1kg当たりの水分量は、体脂肪率が高い者の方が低い者より少ない。（基礎 35-79）

☒ 不感蒸泄は、皮膚や呼気により失われる水である。（基礎 37-79）

☒ 水分出納において、体内に入る水分量として計算する項目は、代謝水量である。（臨床 35-113）

WORD **13**

21 代謝水は、栄養素の代謝により失われる水である。

22 1日当たりのエネルギー消費量は、基礎代謝より食事誘発性熱産生（DIT）によるものが多い。

23 食事誘発性熱産生（DIT）量は、糖質で100kcalを摂取した時より、たんぱく質で100kcalを摂取した時の方が多い。

24 食事誘発性熱産生（DIT）により発生したエネルギーは、筋肉の運動に利用される。

25 安静時における単位重量当たりのエネルギー消費量は、骨格筋より脂肪組織が多い。

26 安静時代謝量は、基礎代謝量より高い。

27 体重当たりの基礎代謝量は、加齢とともに高くなる。

28 基礎代謝量は、発熱に伴い低くなる。

29 基礎代謝量は、低栄養状態で低くなる。

30 単位重量当たりに産生される熱エネルギー量は、褐色脂肪組織より白色脂肪組織が多い。

31 メッツ（METs）は、1日のエネルギー消費量を基礎代謝量の倍数で表したものである。

32 身体活動レベル（PAL）は、身体活動の種類（歩く、走る等）ごとのエネルギー消費量を示す指標である。

33 呼吸商は、消費された酸素量を排出された二酸化炭素量で除して求める。

34 糖質のみが燃焼した時の呼吸商は、0.7である。

35 脂質のみが燃焼した時の呼吸商は、1.0である。

36 物理的燃焼値と生理的燃焼値の差は、たんぱく質より糖質が大きい。

- ☒ 代謝水は、栄養素の代謝により生成される水である。（基礎　37-79）
- ☒ 1日当たりのエネルギー消費量は、基礎代謝より食事誘発性熱産生（DIT）によるものが少ない。（基礎　36-81）
- ◯ 食事誘発性熱産生（DIT）量は、糖質で100kcalを摂取した時より、たんぱく質で100kcalを摂取した時の方が多い。（基礎　36-81）
- ☒ 食事誘発性熱産生（DIT）により発生したエネルギーは、筋肉の運動に利用されない。（基礎　36-81）
- ☒ 安静時における単位重量当たりのエネルギー消費量は、骨格筋より脂肪組織が少ない。（基礎　36-81）
- ◯ 安静時代謝量は、基礎代謝量より高い。（基礎　35-80）
- ☒ 体重当たりの基礎代謝量は、加齢とともに低くなる。（基礎　37-80）
- ☒ 基礎代謝量は、発熱に伴い高くなる。（基礎　37-80）
- ◯ 基礎代謝量は、低栄養状態で低くなる。（基礎　37-80）
- ☒ 単位重量当たりに産生される熱エネルギー量は、褐色脂肪組織より白色脂肪組織が少ない。（基礎　36-81）
- ☒ メッツ（METs）は、身体活動時のエネルギー消費量を安静時代謝量の倍数で表したものである。（基礎　35-80）
- ☒ 身体活動レベル（PAL）は、1日の総エネルギー消費量を基礎代謝量で除したものである。（基礎　35-80）
- ☒ 呼吸商は、排出された二酸化炭素量を消費された酸素量で除して求める。（基礎　35-81）
- ☒ 糖質のみが燃焼した時の呼吸商は、1.0である。（基礎　35-81）
- ☒ 脂質のみが燃焼した時の呼吸商は、0.7である。（応用　37-95）
- ☒ 物理的燃焼値と生理的燃焼値の差は、たんぱく質より糖質が小さい。（基礎　35-81）

WORD 13

出るトコ徹底分析！

推定エネルギー必要量

成人の推定エネルギー必要量の求め方

推定エネルギー必要量(kcal/日)＝①基礎代謝量(kcal/日)×②身体活動レベル

①基礎代謝量（BMR）

基礎代謝量(kcal/日)＝基礎代謝基準値(kcal/kg 体重/日)×参照体重(kg)

②身体活動レベル

レベルⅠ　生活の大部分が座位で、静的な活動が中心の場合

レベルⅡ　座位中心の仕事だが、職場内での移動や立位での作業・接客等、あるいは通勤・買物・家事、軽いスポーツ等のいずれかを含む場合

レベルⅢ　移動や立位の多い仕事への従事者。あるいは、スポーツなど余暇における活発な運動習慣をもっている場合

年齢階級別にみた身体活動レベルの群分け（男女共通）

身体活動レベル	レベルⅠ （低い）	レベルⅡ （ふつう）	レベルⅢ （高い）
18～29歳	1.50	1.75	2.00
30～49歳	1.50	1.75	2.00
50～64歳	1.50	1.75	2.00
65～74歳	1.45	1.70	1.95
75歳以上	1.40	1.65	—

WORD

14 免疫・アレルギー

1 消化管粘膜には、非特異的防御機構が認められる。

2 B細胞は、胸腺で成熟する。

3 抗体は、マクロファージにより産生される。

4 好酸球は、アレルギー反応に関与する。

5 自然免疫は、抗原特異的である。

6 体液性免疫は、抗体が関与する。

7 形質細胞は、液性免疫を担う。

8 食物依存性運動誘発アナフィラキシーは、IgA依存性である。

9 分泌型IgAは、消化管の免疫を担う。

10 IgAは、免疫グロブリンの中で最も血中濃度が高い。

11 IgDは、免疫グロブリンの中で分子量が最も大きい。

12 IgEは、I型アレルギー反応に関わる。

13 IgMは、自然免疫に関わる。

14 IgMは、胎盤を通過する。

15 IgGは、肥満細胞で産生される。

16 IgGは、5量体である。

17 IgGによる免疫は、非特異的防御機構である。

18 血漿中に最も多く存在する抗体は、IgEである。

19 自己免疫性溶血性貧血は、I型アレルギーの機序で起こる。

20 ツベルクリン反応は、III型アレルギーの機序で起こる。

21 アナフィラキシーショックは、IV型アレルギーにより発症する。

22 食物アレルギーに関して、オボムコイドは加熱により抗原性が低下する。

出題科目 ▶ 人体 臨床

- ◯ 消化管粘膜には、非特異的防御機構が認められる。（人体 36-40）
- ☒ B細胞は、骨髄で成熟する。（人体 36-38）
- ☒ 抗体は、形質細胞により産生される。（人体 37-40）
- ◯ 好酸球は、アレルギー反応に関与する。（人体 36-38）
- ☒ 自然免疫は、抗原非特異的である。（人体 36-22）
- ◯ 体液性免疫は、抗体が関与する。（人体 36-22）
- ◯ 形質細胞は、液性免疫を担う。（人体 34-40）
- ☒ 食物依存性運動誘発アナフィラキシーは、IgE依存性である。（人体 34-41）
- ◯ 分泌型IgAは、消化管の免疫を担う。（人体 37-40）
- ☒ IgGは、免疫グロブリンの中で最も血中濃度が高い。（人体 34-40）
- ☒ IgMは、免疫グロブリンの中で分子量が最も大きい。（人体 38-40）
- ◯ IgEは、Ⅰ型アレルギー反応に関わる。（人体 38-40）
- ☒ IgMは、獲得免疫に関わる。（人体 38-40）
- ☒ IgGは、胎盤を通過する。（人体 36-40）
- ☒ IgGは、形質細胞で産生される。（人体 38-40）
- ☒ IgGは、単量体である。（人体 34-40）
- ☒ IgGによる免疫は、特異的防御機構である。（人体 36-40）
- ☒ 血漿中に最も多く存在する抗体は、IgGである。（人体 36-40）
- ☒ 自己免疫性溶血性貧血は、Ⅱ型アレルギーの機序で起こる。（人体 37-40）
- ☒ ツベルクリン反応は、Ⅳ型アレルギーの機序で起こる。（人体 37-40）
- ☒ アナフィラキシーショックは、Ⅰ型アレルギーにより発症する。（人体 37-40）
- ☒ 食物アレルギーに関して、オボムコイドは加熱により抗原性が保たれやすい。（臨床 37-132）

WORD 14

23 食物アレルギーに関して、オボアルブミンは加熱により抗原性が増大する。

24 食物アレルギーに関して、ピーナッツは炒ることで抗原性が低下する。

25 食物アレルギーは、II型アレルギーによって発症する。

26 乳児の食物アレルギーの原因は、そばが最も多い。

27 口腔アレルギー症候群は、食物アレルギーの特殊型である。

28 全身性エリテマトーデスは、男性に多い。

29 全身性エリテマトーデスは、日光浴で寛解する。

30 関節リウマチでは、蝶形紅斑がみられる。

31 強皮症では、胃食道逆流症がみられる。

32 強皮症では、レイノー現象がみられる。

33 シェーグレン症候群では、唾液分泌が増加する。

☒ 食物アレルギーに関して、オボアルブミンは加熱により抗原性が低下する。（臨床　37-132）

☒ 食物アレルギーに関して、ピーナッツは炒ることで抗原性が増大する。（臨床　37-132）

☒ 食物アレルギーは、Ⅰ型アレルギーによって発症する。（人体　37-41）

☒ 乳児の食物アレルギーの原因は、鶏卵が最も多い。（人体　38-41）

◯ 口腔アレルギー症候群は、食物アレルギーの特殊型である。（人体　37-41）

☒ 全身性エリテマトーデスは、女性に多い。（人体　38-41）

☒ 全身性エリテマトーデスは、日光浴で悪化する。（人体　36-41）

☒ 全身性エリテマトーデスでは、蝶形紅斑がみられる。（人体　38-41）

◯ 強皮症では、胃食道逆流症がみられる。（人体　34-41）

◯ 強皮症では、レイノー現象がみられる。（人体　38-41）

☒ シェーグレン症候群では、唾液分泌が減少する。（人体　38-41）

WORD 14

出るトコ徹底分析！

アレルギー疾患の分類、免疫グロブリン

アレルギー疾患の分類

	型		作用機序	主な疾患・症状
Ⅰ	即時型（IgE依存型）	体液性免疫	肥満（マスト）細胞や好塩基球の表面のIgEに抗原（アレルゲン）が結合することで、ヒスタミンなどが放出され、血管透過性亢進や血管拡張などが引き起こされる	気管支喘息、アレルギー性鼻炎、食物アレルギー、じんましん、アナフィラキシー、花粉症
Ⅱ	細胞障害型	体液性免疫	抗体（IgGやIgM）が自己の細胞に結合することで、補体の活性化や貪食細胞（マクロファージ）の貪食が引き起こされ、細胞が融解する	自己免疫性溶血性貧血（AIHA）、血液不適合輸血時に起こる反応、バセドウ病
Ⅲ	免疫複合体型	体液性免疫	抗原と抗体が結合した免疫複合体が組織に沈着し、補体が活性化され組織障害が引き起こされる	血清病、全身性エリテマトーデス、糸球体腎炎
Ⅳ	遅延型（T細胞依存型）	細胞性免疫	抗原と反応して活性化したT細胞（感作T細胞）から分泌されるサイトカインによって、炎症反応や組織障害が引き起こされる	ツベルクリン反応、接触性皮膚炎

免疫グロブリン

免疫グロブリン	特徴	構造
IgG	血清中に最も多く含まれる。胎盤を通過して胎児に移行でき、新生児の体液性免疫の中心となる。	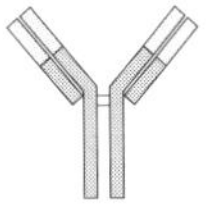
IgM	分子量が最も大きく、感染初期の防御に関与する。	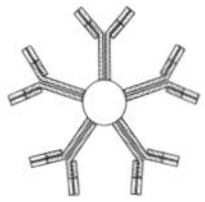
IgA	血清中に存在する（血清 IgA）。 唾液、母乳、鼻汁、気管支分泌液、腸管分泌液などに分泌される（分泌型 IgA）。	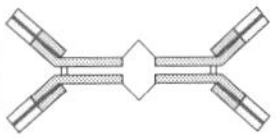
IgD	抗体産生細胞（B 細胞など）の誘導に関与すると推定されている。	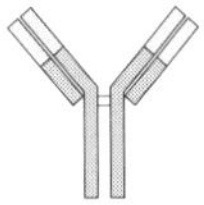
IgE	気道、消化管粘膜、リンパ節などの局所でつくられ、即時型アレルギー反応やアナフィラキシーショックに関与する。	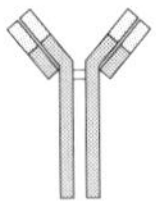

WORD **15**

糖質、食物繊維

1 キシリトールは、う蝕（虫歯）を予防する。

2 グアーガム酵素分解物は、腸内の pH を上昇させる。

3 ポリデキストロースは、腸内有用菌の増殖を抑制する。

4 ラクツロースを過剰に摂取すると、便秘を引き起こす。

5 ガラクトースは、非還元糖である。

6 フルクトースは、ケトン基をもつ。

7 フルクトースの吸収には、エネルギーを必要とする。

8 スクロースは、グルコース 2 分子からなる。

9 ヘキソキナーゼは、グルコースを基質とする。

10 グリコーゲンは、ヘテロ多糖である。

11 グリコーゲンは、β-1, 4 グリコシド結合をもつ。

12 α-アミラーゼは、マルトースをグルコースに分解する。

13 インベルターゼは、スクロースをグルコースとフルクトースに分解する。

14 ラクターゼは、でんぷんをグルコースに分解する。

15 グリセロールは、グリコーゲンの分解により生じる。

16 空腹時には、グリセロールはグルコースの合成に利用される。

17 グルコース-6-ホスファターゼは、筋肉に存在する。

18 グルコース輸送体 4（GLUT4）は、肝細胞に存在する。

19 空腹時は、グリセロールからのグルコース合成が亢進する。

20 空腹時は、肝臓でのグリコーゲン分解が抑制される。

21 食後は、脂肪組織へのグルコースの取り込みが亢進する。

- ◯ キシリトールは、う蝕（虫歯）を予防する。（食べ物　37-72）
- ☒ グアーガム酵素分解物は、腸内の pH を低下させる。（食べ物　37-72）
- ☒ ポリデキストロースは、腸内有用菌の増殖を促進する。（食べ物　37-72）
- ☒ ラクツロースを過剰に摂取すると、下痢を引き起こす。（食べ物　37-72）
- ☒ ガラクトースは、還元糖である。（人体　36-18）
- ◯ フルクトースは、ケトン基をもつ。（人体　36-18）
- ☒ フルクトースの吸収には、エネルギーを必要としない。（基礎　38-70）
- ☒ マルトースは、グルコース 2 分子からなる。（人体　36-18）
- ◯ ヘキソキナーゼは、グルコースを基質とする。（人体　37-21）
- ☒ グリコーゲンは、ホモ多糖である。（人体　36-18）
- ☒ グリコーゲンは、α-1,4 グリコシド結合とα-1,6 グリコシド結合をもつ。（人体　34-18）
- ☒ α-アミラーゼは、でんぷんをグルコースに分解する。（人体　38-25）
- ◯ インベルターゼは、スクロースをグルコースとフルクトースに分解する。（食べ物　36-60）
- ☒ ラクターゼは、ラクトースをガラクトースとグルコースに分解する。（食べ物　36-60）
- ☒ グリセロールは、トリグリセリドの分解により生じる。（人体　37-21）
- ◯ 空腹時には、グリセロールはグルコースの合成に利用される。（基礎　38-71）
- ☒ グルコース-6-ホスファターゼは、肝臓に存在する。（人体　38-20）
- ☒ グルコース輸送体 4（GLUT4）は、筋肉や脂肪細胞に存在する。（人体　37-21）
- ◯ 空腹時は、グリセロールからのグルコース合成が亢進する。（基礎　36-71）
- ☒ 空腹時は、肝臓でのグリコーゲン分解が促進される。（基礎　36-71）
- ◯ 食後は、脂肪組織へのグルコースの取り込みが亢進する。（基礎　37-71）

WORD **15**

22 筋グリコーゲンは、グルコースに変換されて血中に放出される。

23 食後は、GLP-1（グルカゴン様ペプチド-1）の分泌が抑制される。

24 解糖系は、酸素の供給を必要とする。

25 赤血球における ATP の産生は、クエン酸回路で行われる。

26 グルクロン酸経路（ウロン酸経路）は、ATP を産生する。

27 ペントースリン酸回路は、ミトコンドリアに存在する。

28 ペントースリン酸回路は、脂質合成が盛んな組織で活発に働く。

29 ペントースリン酸回路は、NADH を生成する。

30 グリコーゲンは、加リン酸分解されるとグルコース 1-リン酸を生じる。

31 糖新生は、筋肉で行われる。

32 ラボアジェ（Lavoisier AL）は、クエン酸回路を発見した。

33 糖質の代謝状態のアセスメントに用いる尿検査項目は、尿ウロビリノーゲンである。

☒ 筋グリコーゲンは、グルコースに変換されて血中に放出されることはない。(応用 37-95)

☒ 食後は、GLP-1(グルカゴン様ペプチド-1)の分泌が亢進する。(基礎 36-71)

☒ 解糖系は、酸素の供給を必要としない。(基礎 35-71)

☒ 赤血球における ATP の産生は、解糖系で行われる。(基礎 35-71)

☒ グルクロン酸経路(ウロン酸経路)は、グルクロン酸を産生する。(基礎 35-71)

☒ ペントースリン酸回路は、細胞質に存在する。(人体 38-20)

◯ ペントースリン酸回路は、脂質合成が盛んな組織で活発に働く。(基礎 35-71)

☒ ペントースリン酸回路は、NADPH を生成する。(人体 35-21)

◯ グリコーゲンは、加リン酸分解されるとグルコース 1-リン酸を生じる。(人体 34-21)

☒ 糖新生は、主に肝臓で行われる。(基礎 34-71)

☒ クレブス(Krebs HA)は、クエン酸回路を発見した。(基礎 37-68)

☒ 糖質の代謝状態のアセスメントに用いる尿検査項目は、尿ケトン体である。(応用 38-83)

WORD 15

出るトコ徹底分析！

糖質の分類、主な糖質の代謝回路と中間体

糖質の分類

分類	説明	例		
単糖類	糖質の最小構成単位	五炭糖（ペントース）	リボース、デオキシリボース	
		六炭糖（ヘキソース）	グルコース（ブドウ糖）、フルクトース（果糖）、ガラクトース	
少糖類（オリゴ糖類）	単糖が2〜10個程度結合	二糖類	ラクトース（乳糖）、マルトース（麦芽糖）、スクロース（ショ糖）	
		フラクトオリゴ糖、ガラクトオリゴ糖		
多糖類	多数の単糖が結合	ホモ多糖類（1種類の単糖からなる）	デンプン	アミロース、アミロペクチン
			グリコーゲン、セルロース、キチン、デキストリン	
		ヘテロ多糖類（異なる単糖からなる）	ヒアルロン酸、コンドロイチン硫酸、寒天、グルコマンナン	

グルコースの働き

グルコースからの中間代謝物など	機能
グリコーゲン	エネルギー貯蔵機能
解糖系クエン酸回路	エネルギー産生機能
中性脂肪	エネルギー貯蔵機能
非必須アミノ酸（可欠アミノ酸）	たんぱく質の素材供給機能
血糖	エネルギー供給機能
糖たんぱく質、糖脂質	生体成分供給機能
UDP-グルクロン酸	解毒物質供給機能
リボース 5-リン酸	核酸成分供給機能
NADPH	生合成推進物質供給機能

主な糖質の代謝回路と中間体

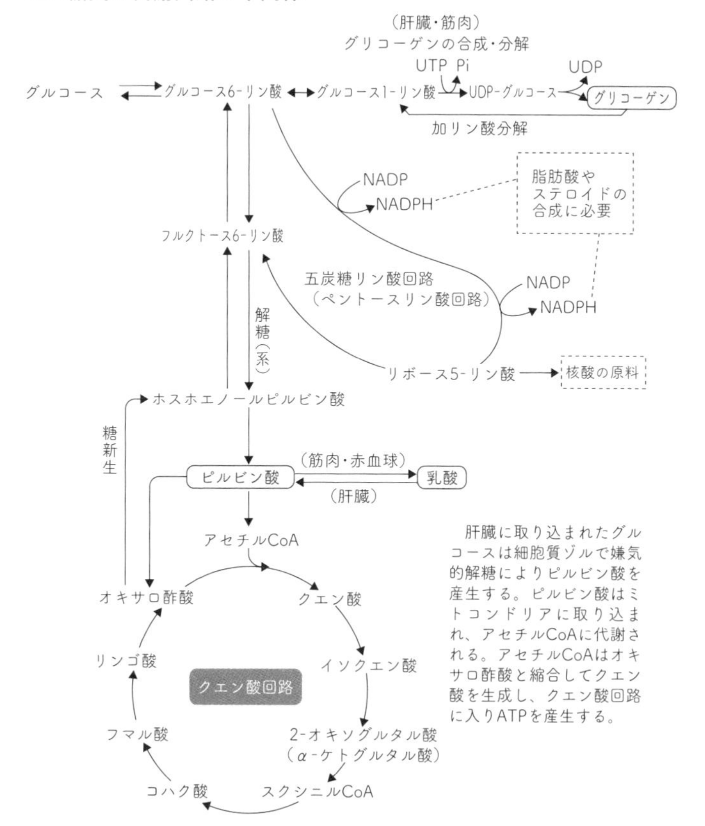

肝臓に取り込まれたグルコースは細胞質ゾルで嫌気的解糖によりピルビン酸を産生する。ピルビン酸はミトコンドリアに取り込まれ、アセチルCoAに代謝される。アセチルCoAはオキサロ酢酸と縮合してクエン酸を生成し、クエン酸回路に入りATPを産生する。

WORD **16**

脂質

1 サラダ油の製造では、キュアリング処理を行う。

2 やし油の飽和脂肪酸の割合は、なたね油より高い。

3 大豆油に含まれる主な脂肪酸は、リノール酸である。

4 ファットスプレッドの油脂含量は、マーガリンより多い。

5 豚脂の融点は、牛脂より高い。

6 脂肪酸は、カルボキシ基を持つ。

7 脂肪酸合成は、リボソームで行われる。

8 飽和脂肪酸は、分子内に炭素―炭素の二重結合をもつ。

9 トリグリセリドは、複合脂質である。

10 カプリル酸は、長鎖脂肪酸である。

11 リノール酸は、体内で合成される。

12 オレイン酸は、多価不飽和脂肪酸である。

13 オレイン酸は、体内で合成できない。

14 アラキドン酸は、一価不飽和脂肪酸である。

15 アラキドン酸は、リノール酸から生成される。

16 アラキドン酸は、エイコサノイドの合成材料である。

17 エイコサペンタエン酸は、n-6 系不飽和脂肪酸である。

18 α-リノレン酸は、n-6 系脂肪酸である。

19 必須脂肪酸の炭化水素鎖の二重結合は、シス型である。

20 腸管から吸収された中鎖脂肪酸は、門脈に入る。

21 カイロミクロンは、小腸上皮細胞で合成される。

22 食後は、血中 VLDL 濃度が低下する。

23 VLDL のトリグリセリド含有率は、カイロミクロンより高い。

- ☒ サラダ油の製造では、ウインタリング処理を行う。（食べ物　36-48）
- ◯ やし油の飽和脂肪酸の割合は、なたね油より高い。（食べ物　36-48）
- ◯ 大豆油に含まれる主な脂肪酸は、リノール酸である。（食べ物　38-43）
- ☒ ファットスプレッドの油脂含量は、マーガリンより少ない。（食べ物　36-48）
- ☒ 豚脂の融点は、牛脂より低い。（食べ物　36-48）
- ◯ 脂肪酸は、カルボキシ基を持つ。（人体　37-18）
- ☒ 脂肪酸合成は、細胞質ゾルで行われる。（人体　38-20）
- ☒ 不飽和飽和脂肪酸は、分子内に炭素—炭素の二重結合をもつ。（人体　38-18）
- ☒ トリグリセリドは、単純脂質である。（人体　38-18）
- ☒ カプリル酸は、中鎖脂肪酸である。（人体　37-18）
- ☒ リノール酸は、体内で合成されない。（人体　37-18）
- ☒ オレイン酸は、一価不飽和脂肪酸である。（基礎　36-75）
- ☒ オレイン酸は、体内で合成できる。（人体　36-21）
- ☒ アラキドン酸は、多価不飽和脂肪酸である。（人体　36-21）
- ◯ アラキドン酸は、リノール酸から生成される。（基礎　36-75）
- ◯ アラキドン酸は、エイコサノイドの合成材料である。（人体　38-18）
- ☒ エイコサペンタエン酸は、n-3 系多価不飽和脂肪酸である。（基礎　36-75）
- ☒ α-リノレン酸は、n-3 系脂肪酸である。（基礎　34-75）
- ◯ 必須脂肪酸の炭化水素鎖の二重結合は、シス型である。（食べ物　34-49）
- ◯ 腸管から吸収された中鎖脂肪酸は、門脈に入る。（人体　36-21）
- ◯ カイロミクロンは、小腸上皮細胞で合成される。（基礎　35-74）
- ☒ 食後は、血中 VLDL 濃度が増加する。（基礎　38-72）
- ☒ VLDL のトリグリセリド含有率は、カイロミクロンより低い。（基礎　35-74）

WORD 16

24 LDL は、HDL から生成される。

25 コレステロールは、エネルギー源として利用される。

26 コレステロールは、細胞膜の構成成分である。

27 コレステロールは、ペプチドホルモンの材料となる。

28 コレステロールは、ビタミン D から合成される。

29 細胞内コレステロール量の減少は、HMG-CoA 還元酵素活性を抑制する。

30 脂肪細胞内のトリグリセリドは、主にリポたんぱく質リパーゼにより分解される。

31 絶食時は、血中のキロミクロンが増加する。

32 絶食時、脂肪組織では、ホルモン感受性リパーゼ活性が低下する。

33 絶食時は、血中の遊離脂肪酸が減少する。

34 絶食時、筋肉では、エネルギー源としての脂肪酸の利用が抑制される。

35 絶食時は、血中のケトン体が増加する。

36 空腹時は、肝臓でケトン体合成が抑制される。

37 空腹時は、肝臓での脂肪酸合成が亢進する。

38 食後は、リポたんぱく質リパーゼが活性化する。

39 食後は、ホルモン感受性リパーゼが活性化する。

- ☒ LDL は、VLDL から生成される。（人体　36-21）
- ☒ コレステロールは、エネルギー源として利用されない。（基礎　38-73）
- ◯ コレステロールは、細胞膜の構成成分である。（基礎　38-73）
- ☒ コレステロールは、ステロイドホルモンの材料となる。（基礎　38-73）
- ☒ コレステロールは、アセチル CoA から合成される。（基礎　38-73）
- ☒ 細胞内コレステロール量の減少は、HMG-CoA 還元酵素活性を促進する。（基礎　38-73）
- ☒ 脂肪細胞内のトリグリセリドは、主にホルモン感受性リパーゼにより分解される。（基礎　35-74）
- ☒ 絶食時は、血中のキロミクロンが減少する。（食べ物　37-74）
- ☒ 絶食時、脂肪組織では、ホルモン感受性リパーゼ活性が上昇する。（食べ物　37-74）
- ☒ 絶食時は、血中の遊離脂肪酸が増加する。（食べ物　37-74）
- ☒ 絶食時、筋肉では、エネルギー源としての脂肪酸の利用が促進される。（食べ物　37-74）
- ◯ 絶食時は、血中のケトン体が増加する。（食べ物　37-74）
- ☒ 空腹時は、肝臓でケトン体合成が促進される。（基礎　38-72）
- ☒ 空腹時は、肝臓での脂肪酸合成が抑制される。（基礎　36-74）
- ◯ 食後は、リポたんぱく質リパーゼが活性化する。（基礎　38-72）
- ☒ 空腹時は、ホルモン感受性リパーゼが活性化する。（基礎　38-72）

WORD 16

出るトコ徹底分析！

リポたんぱく質の特徴、脂質の分類

各リポたんぱく質の特徴

リポたんぱく質	含有率が高い物質	主な働き
カイロミクロン（キロミクロン）	トリアシルグリセロール	食物由来のトリアシルグリセロールやコレステロールを肝臓に運ぶ
超低比重リポたんぱく質（VLDL）	トリアシルグリセロール	肝臓でつくられたトリアシルグリセロールを末梢に運ぶ
低比重リポたんぱく質（LDL）	コレステロール	肝臓でつくられたコレステロールを動脈壁や末梢に運ぶ
高比重リポたんぱく質（HDL）	たんぱく質	余分な遊離型コレステロールを吸収して、肝臓に運ぶ

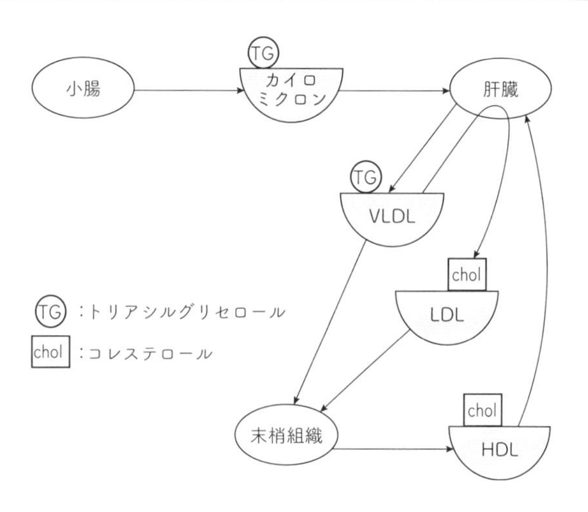

脂質の分類

分類	名称		例
単純脂質	油脂（トリアシルグリセロール・トリグリセリド）		食用油脂
	ロウ		蜜ロウ、鯨ロウ、木ロウ
	ステロールエステル		
複合脂質	リン脂質	グリセロリン脂質	ホスファチジルコリン（レシチン）、ホスファチジルエタノールアミン（ケファリン）、ホスファチジルセリン、ホスファチジルイノシトール
		スフィンゴリン脂質	スフィンゴミエリン
	糖脂質	グリセロ糖脂質	
		スフィンゴ糖脂質	セレブロシド
誘導脂質	ステロール		コレステロール、エルゴステロール、シトステロール
	脂溶性ビタミン		ビタミンA・D・E・K
	脂溶性色素		カロテノイド、クロロフィル
	炭化水素		スクワレン

リポたんぱく質と運ばれる先の
臓器名の組み合わせが
よく問われるんだね！

WORD 17

たんぱく質・アミノ酸

1 米に含まれる主なたんぱく質は、グルテニンである。

2 大豆に含まれる主なたんぱく質は、カゼインである。

3 大豆たんぱく質の第一制限アミノ酸は、リシンである。

4 グリシニンは、等電点において溶解度が最大となる。

5 コラーゲンは、冷水によく溶ける。

6 オボアルブミンは、変性すると消化されやすくなる。

7 人のたんぱく質を構成するアミノ酸は、主にD型である。

8 βシートは、たんぱく質の三次構造である。

9 αヘリックスは、たんぱく質の一次構造である。

10 アミノ酸の吸収は、ナトリウムイオンによって抑制される。

11 アルブミンは、トランスサイレチンより代謝回転速度が速い。

12 RTP（rapid turnover protein）は、アルブミンに比べ血中半減期が長い。

13 アラニンは、筋肉でグルコースに変換される。

14 ロイシンは、糖原性アミノ酸である。

15 トリプトファンは、分枝アミノ酸である。

16 ドーパミンは、グルタミン酸から生成される。

17 チロシンは、側鎖に水酸基をもつ。

18 BCAAは、骨格筋で代謝されない。

19 γ-アミノ酪酸（GABA）は、神経伝達物質として働く。

20 制限アミノ酸がない食品のアミノ酸価は100である。

21 食後は、組織へのアミノ酸の取り込みが抑制される。

22 たんぱく質の過剰摂取は、アミノ酸の異化を亢進する。

- ☒ 米に含まれる主なたんぱく質は、オリゼニンである。（食べ物　36-49）
- ☒ 大豆に含まれる主なたんぱく質は、グリシニンである。（食べ物　36-49）
- ☒ 大豆たんぱく質の第一制限アミノ酸は、メチオニンである。（食べ物　38-43）
- ☒ グリシニンは、等電点において溶解度が最小となる。（食べ物　36-49）
- ☒ コラーゲンは、水に溶けにくい。（食べ物　36-49）
- ○ オボアルブミンは、変性すると消化されやすくなる。（食べ物　36-49）
- ☒ 人のたんぱく質を構成するアミノ酸は、主にL型である。（人体　34-18）
- ☒ βシートは、たんぱく質の二次構造である。（人体　38-18）
- ☒ αヘリックスは、たんぱく質の二次構造である。（人体　35-18）
- ☒ アミノ酸の吸収は、ナトリウムイオンによって促進される。（基礎　38-70）
- ☒ アルブミンは、トランスサイレチンより代謝回転速度が遅い。（基礎　34-72）
- ☒ RTP（rapid turnover protein）は、アルブミンに比べ血中半減期が短い。（基礎　38-74）
- ☒ アラニンは、肝臓でグルコースに変換される。（人体　37-21）
- ☒ ロイシンは、ケト原性アミノ酸である。（人体　37-21）
- ☒ トリプトファンは、芳香族アミノ酸である。（人体　38-18）
- ☒ ドーパミンは、チロシンやフェニルアラニンから生成される。（人体　35-21）
- ○ チロシンは、側鎖に水酸基をもつ。（人体　34-18）
- ☒ BCAAは、骨格筋で代謝される。（基礎　38-74）
- ○ γ-アミノ酪酸（GABA）は、神経伝達物質として働く。（人体　35-18）
- ○ 制限アミノ酸がない食品のアミノ酸価は100である。（基礎　34-73）
- ☒ 食後は、組織へのアミノ酸の取り込みが促進される。（基礎　38-74）
- ○ たんぱく質の過剰摂取は、アミノ酸の異化を亢進する。（基礎　36-72）

WORD **17**

23 たんぱく質の過剰摂取時は、尿中への排泄窒素量が増加する。

24 糖質の十分な摂取は、たんぱく質の分解を促進する。

25 空腹時は、エネルギー源としての利用が促進される。

26 空腹時は、体たんぱく質合成が亢進する。

27 無たんぱく質食の摂取時は、尿中への窒素排泄がみられない。

28 たんぱく質の摂取が不足すると、筋たんぱく質量が増加する。

29 たんぱく質の摂取が不足すると、急速代謝回転たんぱく質の血中濃度が上昇する。

30 たんぱく質の摂取が不足すると、ビタミン B_6 の必要量が増加する。

31 摂取窒素量が排泄窒素量を上回ると、窒素出納は負になる。

32 窒素出納が負の時は、体たんぱく質量が増加している。

33 アミノ酸価は、食品たんぱく質の生物学的評価法の1つである。

34 たんぱく質効率（PER）は、窒素出納を指標として求める。

35 生物価は、体重変化を指標として求める。

36 正味たんぱく質利用率（NPU）は、生物価に消化吸収率を乗じて求める。

37 クレブス（Krebs HA）は、たんぱく質の窒素定量法を開発した。

38 たんぱく質・エネルギー栄養障害患者に栄養管理を開始し、1週間後に行った栄養アセスメントの結果では血清トランスサイレチン値が上昇していたことから、栄養状態の改善が見られたと評価された。

- ○ たんぱく質の過剰摂取時は、尿中への排泄窒素量が増加する。(食べ物 37-73)
- ☒ 糖質の十分な摂取は、たんぱく質の分解を抑制する。(基礎 38-71)
- ○ 空腹時は、エネルギー源としての利用が促進される。(基礎 38-74)
- ☒ 空腹時は、体たんぱく質合成が抑制される。(基礎 36-72)
- ☒ 無たんぱく質食の摂取時は、尿中への窒素排泄がみられる。(基礎 36-73)
- ☒ たんぱく質の摂取が不足すると、筋たんぱく質量が減少する。(食べ物 37-73)
- ☒ たんぱく質の摂取が不足すると、急速代謝回転たんぱく質の血中濃度が低下する。(食べ物 37-73)
- ☒ たんぱく質の摂取が不足すると、ビタミンB_6の必要量が減少する。(食べ物 37-73)
- ☒ 摂取窒素量が排泄窒素量を上回ると、窒素出納は正になる。(基礎 34-73)
- ☒ 窒素出納が負の時は、体たんぱく質量が減少している。(応用 36-82)
- ☒ アミノ酸価は、食品たんぱく質の化学的評価法の1つである。(基礎 36-73)
- ☒ たんぱく質効率(PER)は、体重変化を指標として求める。(基礎 36-73)
- ☒ 生物価は、窒素出納を指標として求める。(基礎 36-73)
- ○ 正味たんぱく質利用率(NPU)は、生物価に消化吸収率を乗じて求める。(基礎 36-73)
- ☒ ケルダール(Kjeldahl J)は、たんぱく質の窒素定量法を開発した。(基礎 37-68)
- ○ たんぱく質・エネルギー栄養障害患者に栄養管理を開始し、1週間後に行った栄養アセスメントの結果では血清トランスサイレチン値が上昇していたことから、栄養状態の改善が見られたと評価された。(臨床 38-119)

WORD 17

出るトコ徹底分析！

窒素量

窒素に関連する計算式

- 吸収窒素量＝摂取窒素量－（糞中窒素量－無たんぱく質食での糞中窒素量）
- 体内保留窒素量
  ＝吸収窒素量－（通常食での尿中窒素量－無たんぱく質食での尿中窒素量）
- 生物価（BV）＝体内保留窒素量/吸収窒素量×100
- たんぱく質利用効率（PER）＝体重増加量（g）/摂取たんぱく質量（g）
- 正味たんぱく質利用率（NPU）＝体内保留窒素量/摂取窒素量×100
  ＝生物価（BV）×消化吸収率
- 窒素出納値＝摂取窒素量－体外排泄窒素量
  ＝たんぱく質摂取量（g）/6.25 －（尿中窒素排泄量（g/24 時間）＋推定非尿中窒素排泄量（4g））
- NPC/N 比（たんぱく質必要量の推定方法）

$$=\frac{\text{総エネルギー量}-\text{たんぱく質によるエネルギー量}}{\text{たんぱく質重量}\times 0.16\text{窒素量(g)}^{※}}$$

$$=\frac{\text{糖質(g)}\times 4\text{(kcal)}+\text{脂質(g)}\times 9\text{(kcal)}}{\text{窒素量(g)}^{※}}$$

※窒素量は「たんぱく質（g）/6.25」で算出

近年、計算問題の出題が増えているので、
算出方法をしっかり理解しておきましょう！

WORD 18

ビタミン・ミネラル

1 吸収された脂溶性ビタミンは、門脈に流れる。

2 β-カロテンは、水溶性の色素である。

3 ビタミンAは、遺伝子発現を調節する。

4 ビタミンAは、脂質と一緒に摂取すると吸収率が低下する。

5 食品中のβ-クリプトキサンチンは、プロビタミンAである。

6 ナイアシンは、メチオニンから合成される。

7 ナイアシンの欠乏症は、ウェルニッケ脳症である。

8 糖質摂取量の増加は、ビタミンB_1の必要量を減少させる。

9 ビタミンB_1は、組織飽和量に達すると尿中排泄量が減少する。

10 ビタミンB_1は、ピルビン酸をアセチルCoAに変換する反応の補酵素である。

11 ビタミンB_1の欠乏症は、ペラグラである。

12 ビタミンB_1は、フラビン酵素の補酵素として働く。

13 ビタミンB_1の要求量は、たんぱく質摂取量に比例する。

14 ビタミンB_2の補酵素型は、ピリドキサールリン酸である。

15 リボフラビンは、紫外線に対して不安定である。

16 脚気心は、ビタミンB_6欠乏で起こる。

17 ビタミンB_6の吸収には、内因子が必要である。

18 ビタミンB_6は、たんぱく質摂取量の増加に伴い必要量が減少する。

19 シアノコバラミンは、分子内に銅を含む。

20 ビタミンB_{12}は、内因子と結合すると吸収が抑制される。

21 ビタミンB_{12}の欠乏により生じる疾患はハンター舌炎である。

出題科目 ▶ 人体 食べ物 基礎 臨床

☒ 吸収された脂溶性ビタミンは、リンパ管に流れる。（基礎 35-76）

☒ β-カロテンは、脂溶性の色素である。（食べ物 38-47）

○ ビタミンAは、遺伝子発現を調節する。（基礎 35-76）

☒ ビタミンAは、脂質と一緒に摂取すると吸収率が上昇する。（基礎 37-77）

○ 食品中のβ-クリプトキサンチンは、プロビタミンAである。（食べ物 35-50）

☒ ナイアシンは、トリプトファンから合成される。（基礎 34-77）

☒ ナイアシンの欠乏症は、ペラグラである。（臨床 35-120）

☒ 糖質摂取量の増加は、ビタミン B_1 の必要量を増加させる。（基礎 38-71）

☒ ビタミン B_1 は、組織飽和量に達すると尿中排泄量が増加する。（基礎 37-77）

○ ビタミン B_1 は、ピルビン酸をアセチルCoAに変換する反応の補酵素である。（基礎 35-77）

☒ ビタミン B_1 の欠乏症は、脚気、ウェルニッケ脳症である。（臨床 35-120）

☒ ビタミン B_2 は、フラビン酵素の補酵素として働く。（基礎 38-77）

☒ ビタミン B_6 の要求量は、たんぱく質摂取量に比例する。（基礎 36-77）

☒ ビタミン B_6 の補酵素型は、ピリドキサールリン酸である。（基礎 36-77）

○ リボフラビンは、紫外線に対して不安定である。（食べ物 38-47）

☒ 脚気心は、ビタミン B_1 欠乏で起こる。（人体 38-28）

☒ ビタミン B_{12} の吸収には、内因子が必要である。（基礎 37-77）

☒ ビタミン B_6 は、たんぱく質摂取量の増加に伴い必要量が増加する。（基礎 38-77）

☒ シアノコバラミンは、分子内にコバルトを含む。（食べ物 38-47）

☒ ビタミン B_{12} は、内因子と結合すると吸収が促進される。（基礎 38-77）

○ ビタミン B_{12} の欠乏により生じる疾患はハンター舌炎である。（臨床 34-118）

WORD 18

22 パントテン酸は、血液凝固因子合成に関与する。

23 パントテン酸は、生体内でトリプトファンから合成される。

24 葉酸の欠乏症は、高ホモシステイン血症である。

25 葉酸は、DNA の合成に必要である。

26 ビオチンの吸収は、アビジンにより促進される。

27 L-デヒドロアスコルビン酸は、抗酸化作用をもつ。

28 ビタミンCは、コラーゲン合成に関与する。

29 ビタミンCは、ビタミンEラジカルをビタミンEに変換する。

30 ビタミンCの欠乏症は、夜盲症である。

31 エルゴステロールは、紫外線によりコレカルシフェロールに変換される。

32 活性型ビタミンDは、カルシウムの小腸での吸収を抑制する。

33 ビタミンDは、小腸で活性型に変換される。

34 ビタミンDの欠乏症は、甲状腺腫である。

35 ビタミンEは、膜脂質の酸化を抑制する。

36 食品中のγ-トコフェロールは、最もビタミンE活性が高い。

37 ビタミンEは、欠乏すると、悪性貧血を引き起こす。

38 ビタミンKは、骨形成に必要である。

39 ビタミンKは、腸内細菌により合成される。

40 鉄の吸収は、体内の鉄貯蔵量に影響されない。

41 体内総鉄量に占める機能鉄の割合は、貯蔵鉄より低い。

42 鉄は、主にトランスフェリンと結合して貯蔵される。

43 ヘム鉄は、植物性食品に含まれる。

- ☒ ビタミンKは、血液凝固因子合成に関与する。(基礎 37-76)
- ☒ ナイアシンは、生体内でトリプトファンから合成される。(基礎 38-77)
- ○ 葉酸の欠乏症は、高ホモシステイン血症である。(臨床 35-120)
- ○ 葉酸は、DNAの合成に必要である。(基礎 38-77)
- ☒ ビオチンの吸収は、アビジンにより阻害される。(基礎 36-77)
- ☒ アスコルビン酸は、抗酸化作用をもつ。(食べ物 38-47)
- ○ ビタミンCは、コラーゲン合成に関与する。(基礎 37-76)
- ○ ビタミンCは、ビタミンEラジカルをビタミンEに変換する。(基礎 34-77)
- ☒ ビタミンCの欠乏症は、壊血病である。(臨床 35-120)
- ☒ エルゴステロールは、紫外線によりエルゴカルシフェロールに変換される。(食べ物 38-47)
- ☒ 活性型ビタミンDは、カルシウムの小腸での吸収を促進する。(基礎 36-76)
- ☒ ビタミンDは、腎臓で活性型に変換される。(基礎 36-76)
- ☒ ビタミンDの欠乏症は、くる病、骨軟化症である。(臨床 35-120)
- ○ ビタミンEは、膜脂質の酸化を抑制する。(基礎 38-76)
- ☒ 食品中のα-トコフェロールは、最もビタミンE活性が高い。(食べ物 35-50)
- ☒ ビタミンEは、欠乏すると、溶血性貧血を引き起こす。(基礎 38-76)
- ○ ビタミンKは、骨形成に必要である。(基礎 36-76)
- ○ ビタミンKは、腸内細菌により合成される。(基礎 37-77)
- ☒ 鉄の吸収は、体内の鉄貯蔵量に影響される。(基礎 38-70)
- ☒ 体内総鉄量に占める機能鉄の割合は、貯蔵鉄より高い。(基礎 37-78)
- ☒ 鉄は、主にフェリチンと結合して貯蔵される。(基礎 37-78)
- ☒ ヘム鉄は、動物性食品に含まれる。(基礎 37-78)

WORD **18**

44 非ヘム鉄は、3価鉄として吸収される。

45 ヘモクロマトーシスは、鉄の欠乏症である。

46 鉄欠乏では、血中ヘモグロビン値が血中フェリチン値より先に低下する。

47 亜鉛は、甲状腺ホルモンの構成成分である。

48 味覚障害は、亜鉛の欠乏症である。

49 銅は、スーパーオキシドジスムターゼ（SOD）の構成成分である。

50 ウィルソン病は、銅の欠乏症である。

51 体内カルシウムの約10%は、血液中に存在する。

52 カルシウムの小腸での吸収は、リンにより促進される。

53 カルシウムの欠乏により生じる疾患はパーキンソン病である。

54 カルシウムの過剰摂取による健康障害は、尿路結石である。

55 血中カルシウム濃度の低下時に活性型ビタミンDの産生が抑制される。

56 血中カルシウム濃度の低下時に骨吸収が促進される。

57 血中カルシウム濃度の低下時にカルシトニンの分泌が促進される。

58 リンは、体内に最も多く存在するミネラルである。

59 リンは、核酸の構成成分である。

60 セレンは、シトクロムの構成成分である。

61 克山病は、モリブデンの欠乏症である。

62 重炭酸イオンは、血液の酸塩基平衡の調節に関わる。

☒ 非ヘム鉄は、2価鉄として吸収される。（基礎 35-78）

☒ ヘモクロマトーシスは、鉄の過剰症である。（基礎 38-79）

☒ 鉄欠乏では、血中フェリチン値が血中ヘモグロビン値より先に低下する。（基礎 37-78）

☒ ヨウ素は、甲状腺ホルモンの構成成分である。（基礎 36-79）

◯ 味覚障害は、亜鉛の欠乏症である。（基礎 38-79）

◯ 銅は、スーパーオキシドジスムターゼ（SOD）の構成成分である。（基礎 36-79）

☒ ウィルソン病は、銅の過剰症である。（基礎 38-79）

☒ 体内カルシウムの約1%は、血液中に存在する。（基礎 36-78）

☒ カルシウムの小腸での吸収は、リンにより抑制される。（基礎 36-78）

☒ カルシウムの欠乏により生じる疾患はくる病・骨軟化症・骨粗鬆症などである。（臨床 34-118）

◯ カルシウムの過剰摂取による健康障害は、尿路結石である。（基礎 36-68）

☒ 血中カルシウム濃度の低下時に活性型ビタミンDの産生が促進される。（基礎 38-78）

◯ 血中カルシウム濃度の低下時に骨吸収が促進される。（基礎 38-78）

☒ 血中カルシウム濃度の低下時にカルシトニンの分泌が抑制される。（基礎 38-78）

☒ カルシウムは、体内に最も多く存在するミネラルである。（基礎 36-78）

◯ リンは、核酸の構成成分である。（基礎 36-78）

☒ セレンは、グルタチオンペルオキシダーゼの構成成分である。（基礎 36-79）

☒ 克山病は、セレンの欠乏症である。（基礎 38-79）

◯ 重炭酸イオンは、血液の酸塩基平衡の調節に関わる。（基礎 34-80）

WORD 19 食品

1 グラニュー糖の甘味度は、温度が低くなるほど高くなる。

2 減塩しょうゆの食塩濃度は、約16%である。

3 醸造酢は、酢酸を水で希釈して調味したものである。

4 みその麹歩合は、大豆量から麹量を差し引いた値である。

5 5′-グアニル酸ナトリウムは、核酸系のうま味物質である。

6 薄力粉のたんぱく質含有量は、強力粉より多い。

7 大豆は、小豆よりでんぷん含量が多い。

8 大豆の吸水速度は、小豆よりも遅い。

9 乾燥小豆の脂質含有量は、乾燥大豆より多い。

10 グリーンピースは、緑豆の未熟種子である。

11 牛乳の脂質中のトリグリセリドの割合は、約15%である。

12 牛乳の乳糖は、全糖質の約5%を占める。

13 牛乳の乳清たんぱく質は、全たんぱく質の約80%を占める。

14 牛乳のカゼインはpH6.6に調整すると凝集沈殿する。

15 バナナは、追熟に伴いでんぷんが増加する。

16 日本なしの石細胞は、リグニンを多く含む。

17 りんごの主な多糖類は、アガロペクチンである。

18 アボカドは、不飽和脂肪酸より飽和脂肪酸を多く含む。

19 畜肉の死後硬直が始まると、筋肉のpHは上昇する。

20 畜肉の筋たんぱく質の構成割合は、筋形質（筋漿）たんぱく質が最も多い。

21 辛子めんたいこは、まだらの卵巣の塩蔵品である。

22 キャビアは、にしんの卵巣の塩蔵品である。

23 からすみは、ぼらの卵巣の塩蔵品である。

☒ グラニュー糖の甘味度は、温度によって変化しない。(食べ物 38-46)

☒ 減塩しょうゆの食塩濃度は、9%以下である。(食べ物 38-46)

☒ 合成酢は、酢酸を水で希釈して調味したものである。(食べ物 38-46)

☒ みその麹歩合は、大豆量に対する麹量の割合の値である。(食べ物 38-46)

○ 5'-グアニル酸ナトリウムは、核酸系のうま味物質である。(食べ物 38-46)

☒ 薄力粉のたんぱく質含有量は、強力粉より少ない。(食べ物 37-49)

☒ 大豆は、小豆よりでんぷん含量が少ない。(食べ物 36-46)

☒ 大豆の吸水速度は、小豆よりも速い。(食べ物 38-43)

☒ 乾燥小豆の脂質含有量は、乾燥大豆より少ない。(食べ物 37-49)

☒ グリーンピースは、エンドウの未熟種子である。(食べ物 36-46)

☒ 牛乳の脂質中のトリグリセリドの割合は、約98%である。(食べ物 35-45)

☒ 牛乳の乳糖は、全糖質の約99.8%を占める。(食べ物 37-46)

☒ 牛乳の乳清たんぱく質は、全たんぱく質の約20%を占める。(食べ物 37-46)

☒ 牛乳のカゼインはpH4.6に調整すると凝集沈殿する。(食べ物 35-45)

☒ バナナは、追熟に伴いでんぷんが分解される。(食べ物 38-44)

○ 日本なしの石細胞は、リグニンを多く含む。(食べ物 38-44)

☒ りんごの主な多糖類は、ペクチンである。(食べ物 38-44)

☒ アボカドは、飽和脂肪酸より不飽和脂肪酸を多く含む。(食べ物 38-44)

☒ 畜肉の死後硬直が始まると、筋肉のpHは低下する。(食べ物 34-46)

☒ 畜肉の筋たんぱく質の構成割合は、筋原線維たんぱく質が最も多い。(食べ物 34-46)

☒ 辛子めんたいこは、スケトウダラの卵巣の塩蔵品である。(食べ物 37-45)

☒ キャビアは、チョウザメの卵巣の塩蔵品である。(食べ物 37-45)

○ からすみは、ぼらの卵巣の塩蔵品である。(食べ物 37-45)

WORD **19**

24 まぐろの普通肉は、その血合肉よりミオグロビン含量が多い。

25 春獲りのかつおは、秋獲りのかつおより脂質含量が多い。

26 とびうおのうま味成分は、主にグアニル酸である。

27 海水魚のトリメチルアミン量は、鮮度低下に伴って減少する。

28 海水魚は、食中毒予防のために、水道水で洗浄する。

29 かきは、ひらめよりグリコーゲン含量が多い。

30 あさりは、砂出しのために、水道水に浸す。

31 鶏卵のハウユニットは、濃厚卵白の高さを直径で除して算出する。

32 鶏卵のアビジンは、ナイアシンと強く結合する。

33 鶏卵のホスビチンは、たんぱく質分解酵素である。

34 鶏卵の脂溶性ビタミンは、卵黄より卵白に多く含まれる。

35 卵白は古くなると、pH が低下する。

36 卵白のたんぱく質では、リゾチームの割合が最も高い。

37 鶏卵のリゾチームは、鉄結合性のたんぱく質である。

38 鶏卵のオボトランスフェリンは、起泡性に優れる。

39 卵黄のたんぱく質の大部分は、脂質と結合したリポたんぱく質である。

40 卵黄のリン脂質では、レシチンの割合が最も高い。

41 紅茶は、不発酵茶である。

42 生しいたけのビタミン D 含有量は、乾しいたけより多い。

☒ まぐろの普通肉は、その血合肉よりミオグロビン含量が少ない。（食べ物 36-47）

☒ 春獲りのかつおは、秋獲りのかつおより脂質含量が少ない。（食べ物 36-47）

☒ とびうおのうま味成分は、主にイノシン酸である。（食べ物 36-47）

☒ 海水魚のトリメチルアミン量は、鮮度低下に伴って増加する。（食べ物 36-47）

〇 海水魚は、食中毒予防のために、水道水で洗浄する。（食べ物 36-65）

〇 かきは、ひらめよりグリコーゲン含量が多い。（食べ物 36-47）

☒ あさりは、砂出しのために、海水程度の食塩水に浸す。（食べ物 36-65）

☒ 鶏卵のハウユニットは、濃厚卵白の高さと殻つき卵の重量から算出する。（食べ物 38-45）

☒ 鶏卵のアビジンは、ビオチンと強く結合する。（食べ物 37-47）

☒ 鶏卵のホスビチンは、卵黄たんぱく質である。（食べ物 37-47）

☒ 鶏卵の脂溶性ビタミンは、卵白より卵黄に多く含まれる。（食べ物 37-47）

☒ 卵白は古くなると、pH が上昇する。（食べ物 37-47）

☒ 卵白のたんぱく質では、オボアルブミンの割合が最も高い。（食べ物 34-47）

☒ 卵白のオボトランスフェリンは、鉄結合性のたんぱく質である。（食べ物 38-45）

〇 鶏卵のオボトランスフェリンは、起泡性に優れる。（食べ物 37-47）

〇 卵黄のたんぱく質の大部分は、脂質と結合したリポたんぱく質である。（食べ物 38-45）

〇 卵黄のリン脂質では、レシチンの割合が最も高い。（食べ物 34-47）

☒ 紅茶は、発酵茶である。（食べ物 35-46）

☒ 生しいたけのビタミンD含有量は、乾しいたけより少ない。（食べ物 37-49）

WORD **20** 栄養教育

1	妊婦を対象とした栄養・食生活支援で「経済的に困窮している妊婦に、友人がフードバンクへの登録を勧めた」は、生態学的モデルの個人内レベルである。
2	妊婦を対象とした栄養・食生活支援で「病院のスタッフ間で、体重増加不良の妊婦には栄養相談を勧めることを意思統一した」は、生態学的モデルの個人間レベルである。
3	妊婦を対象とした栄養・食生活支援で「母子健康手帳交付時に、市ではメールで栄養相談を受け付けていることを伝えた」は、生態学的モデルの組織レベルである。
4	妊婦を対象とした栄養・食生活支援で「自治体の食育推進計画に、妊婦の栄養対策の実施と目標値を含めた」は、生態学的モデルの政策レベルである。
5	高血圧対策として、社員の食塩摂取量の減少を目指した取組を行う際の社会的認知理論の構成概念と、それを活用した取組の組合せとして減塩醤油の試供品を配布し、家庭で使ってもらうことは、社会的認知理論のうち、自己効力感にあたる。
6	企業の管理栄養士が、中高年向けの新しい食事管理アプリを開発し、販売することになり、その中の取組みとして、スマートフォンで利用でき、仲間に見せられることは、イノベーション普及理論の観察可能性（可観測性）にあたる。
7	肥満を改善するための支援で「くじけそうになったら、まだやれると自分を励ますように勧める」は、行動変容技法の認知再構成である。
8	肥満を改善するための支援で「目標体重まで減量できた時の褒美を考えるように勧める」は、行動変容技法の行動置換である。
9	地域在住高齢者を対象とした、ロコモティブシンドローム予防のための支援で、「毎日30分散歩すると目標を決めて、周囲の人に言うように勧める」のは、行動変容技法のセルフモニタリングである。
10	地域在住高齢者を対象とした、ロコモティブシンドローム予防のための支援で、「カレンダーに食事摂取と運動のチェック欄を作るよう提案する」のは、行動変容技法の刺激統制である。

☒ 妊婦を対象とした栄養・食生活支援で「経済的に困窮している妊婦に、友人がフードバンクへの登録を勧めた」は、生態学的モデルの個人間レベルである。（臨床　34-105）

☒ 妊婦を対象とした栄養・食生活支援で「病院のスタッフ間で、体重増加不良の妊婦には栄養相談を勧めることを意思統一した」は、生態学的モデルの組織レベルである。（臨床　34-105）

☒ 妊婦を対象とした栄養・食生活支援で「母子健康手帳交付時に、市ではメールで栄養相談を受け付けていることを伝えた」は、生態学的モデルの地域レベルである。（臨床　34-105）

○ 妊婦を対象とした栄養・食生活支援で「自治体の食育推進計画に、妊婦の栄養対策の実施と目標値を含めた」は、生態学的モデルの政策レベルである。（臨床　34-105）

○ 高血圧対策として、社員の食塩摂取量の減少を目指した取組を行う際の社会的認知理論の構成概念と、それを活用した取組の組合せとして減塩醤油の試供品を配布し、家庭で使ってもらうことは、社会的認知理論のうち、自己効力感にあたる。（栄養　37-98）

○ 企業の管理栄養士が、中高年向けの新しい食事管理アプリを開発し、販売することになり、その中の取組みとして、スマートフォンで利用でき、仲間に見せられることは、イノベーション普及理論の観察可能性（可観測性）にあたる。（栄養　37-100）

○ 肥満を改善するための支援で「くじけそうになったら、まだやれると自分を励ますように勧める」は、行動変容技法の認知再構成である。（栄養　34-101）

☒ 肥満を改善するための支援で「目標体重まで減量できた時の褒美を考えるように勧める」は、行動変容技法のオペラント強化である。（栄養　34-101）

☒ 地域在住高齢者を対象とした、ロコモティブシンドローム予防のための支援で、「毎日30分散歩すると目標を決めて、周囲の人に言うように勧める」のは、行動変容技法の目標宣言である。（栄養　35-102）

☒ 地域在住高齢者を対象とした、ロコモティブシンドローム予防のための支援で、「カレンダーに食事摂取と運動のチェック欄を作るよう提案する」のは、行動変容技法のセルフモニタリングである。（栄養　35-102）

WORD **20**

11 地域在住高齢者を対象とした、ロコモティブシンドローム予防のための支援で、「運動を始めると、自分にどのような影響があるかを考えてもらう」のは、行動変容技法の意思決定バランスである。

12 減量を目的とした支援内容として、ご飯茶碗を小さくすることを勧めることは、ナッジの考え方を活用した支援である。

13 社員食堂に勤務する管理栄養士が減塩メニューの利用者を増やすために、健診の内容に合わせて減塩メニューのキャンペーンを打つことは、ナッジを活用するフレームワークである「EAST」のうち、「T：Timely」を用いた取組である。

14 小学生の野菜嫌いを改善するための取組を行う際、「野菜に興味を示す児童の割合」は、プリシード・プロシードモデルに基づくアセスメントの準備要因にあたる。

15 地域の生産者や関係機関と連携した小学生への食育を計画する際、「地域の産物を給食で提供することに関心がある流通業者の有無」は、プリシード・プロシードモデルに基づくアセスメントでは準備要因にあたる。

16 栄養教育に用いられる基準・指針等について、日本人の食事摂取基準や栄養成分表示は栄養素レベル、6つの基礎食品は食品（食材料）レベル、食事バランスガイドは料理（食事）レベルの階層構造といえる。

17 栄養教育プログラムの経済評価において、費用効用分析では、得られた効果を金額に換算して評価する。

18 栄養教育プログラムの経済評価において、費用便益分析では、総費用よりも総便益が小さいほど、経済的に有益であったと評価する。

19 栄養教育プログラムの経済評価において、費用効果分析では、一定の効果（1単位）を得るために要した費用を評価する。

20 地域在住高齢者を対象に、低栄養予防のための栄養教育を行った際の形成的評価として、栄養教育を行うスタッフの事前研修への出席状況は適当である。

○	地域在住高齢者を対象とした、ロコモティブシンドローム予防のための支援に関して、「運動を始めると、自分にどのような影響があるかを考えてもらう」のは、行動変容技法の意思決定バランスである。（栄養　35-102）
○	減量を目的とした支援内容として、ご飯茶碗を小さくすることを勧めることは、ナッジの考え方を活用した支援である。（栄養　37-104）
○	社員食堂に勤務する管理栄養士が減塩メニューの利用者を増やすために、健診の内容に合わせて減塩メニューのキャンペーンを打つことは、ナッジを活用するフレームワークである「EAST」のうち、「T：Timely」を用いた取組である。（栄養　38-105）
○	小学生の野菜嫌いを改善するための取組を行う際、「野菜に興味を示す児童の割合」は、プリシード・プロシードモデルに基づくアセスメントの準備要因にあたる。（栄養　37-106）
×	地域の生産者や関係機関と連携した小学生への食育を計画する際、「地域の産物を給食で提供することに関心がある流通業者の有無」は、プリシード・プロシードモデルに基づくアセスメントでは実現要因にあたる。（栄養　35-105）
○	栄養教育に用いられる基準・指針等について、日本人の食事摂取基準や栄養成分表示は栄養素レベル、6つの基礎食品は食品（食材料）レベル、食事バランスガイドは料理（食事）レベルの階層構造といえる。（栄養　38-98）
×	栄養教育プログラムの経済評価において、費用便益分析では、得られた効果を金額に換算して評価する。（栄養　38-110）
×	栄養教育プログラムの経済評価において、費用便益分析では、総費用よりも総便益が大きいほど、経済的に有益であったと評価する。（栄養　38-110）
○	栄養教育プログラムの経済評価において、費用効果分析では、一定の効果（1単位）を得るために要した費用を評価する。（栄養　38-110）
○	地域在住高齢者を対象に、低栄養予防のための栄養教育を行った際の形成的評価として、栄養教育を行うスタッフの事前研修への出席状況は適当である。（栄養　38-109）

WORD 21

給食の安全・衛生

1 インシデントレポートでは、分析結果は、給食従事者に公開しない。

2 インシデントレポートは、給食従事者の危機管理に対する意識向上につながる。

3 HACCP システムは、危害発生後の状況を分析することを目的とする。

4 HACCP システムによる衛生管理の前提条件として、一般的衛生管理プログラムを整備する。

5 危害分析（HA）は、原材料の購入から利用者が喫食を終えるまでを対象とする。

6 大量調理施設衛生管理マニュアルでは、調理従事者の検便検査は 2 か月に 1 回の頻度で行う。

7 大量調理施設衛生管理マニュアルでは、調理従事者の作業開始前の健康状態の記録は、週 1 回の頻度で行う。

8 大量調理施設衛生管理マニュアルでは、調理従事者に下痢がある場合には調理作業に従事せず、医療機関を受診する。

9 大量調理施設衛生管理マニュアルに基づき、使用水の残留塩素濃度は 1 日 1 回、始業前に検査する。

10 大量調理施設において、壁と床の境目は、R 構造にする。

11 大量調理施設において、グリストラップは、配膳室に設置する。

12 大量調理施設衛生管理マニュアルに基づき、冷凍食品は納入時の温度測定を省略し、速やかに冷凍庫に保管する。

13 食中毒の発生が疑われた場合、検便結果表を用いて調理担当者の勤務状況を確認する。

14 食中毒の発生が疑われた場合、検収簿を用いて食材料の納品温度を確認する。

15 介護老人保健施設の給食における危機管理対策として、災害・事故発生を想定し、他施設との連携体制を確保する。

- ☒ インシデントレポートでは、分析結果は、給食従事者に公開する。（給食 36-169）
- ◯ インシデントレポートは、給食従事者の危機管理に対する意識向上につながる。（給食 36-169）
- ☒ HACCP システムは、製造工程において危害要因（食中毒菌汚染や異物混入等）の発生を予防することを目的とする。（給食 36-170）
- ◯ HACCP システムによる衛生管理の前提条件として、一般的衛生管理プログラムを整備する。（給食 36-170）
- ☒ 危害分析（HA）は、原材料の購入から利用者が喫食するまでを対象とする。（給食 36-170）
- ☒ 大量調理施設衛生管理マニュアルでは、調理従事者の検便検査は月に1回以上の頻度で行う。（給食 34-169）
- ☒ 大量調理施設衛生管理マニュアルでは、調理従事者の作業開始前の健康状態の記録は、毎日行う。（給食 34-169）
- ◯ 大量調理施設衛生管理マニュアルでは、調理従事者に下痢がある場合には調理作業に従事せず、医療機関を受診する。（給食 34-169）
- ☒ 大量調理施設衛生管理マニュアルに基づき、使用水の残留塩素濃度は1日2回、始業前および調理作業終了後に検査する。（給食 35-168）
- ◯ 大量調理施設において、壁と床の境目は、R 構造にする。（給食 36-168）
- ☒ 大量調理施設において、グリストラップは、下処理室に設置する。（給食 36-168）
- ☒ 大量調理施設衛生管理マニュアルに基づき、冷凍食品は納入時の温度測定を行い、速やかに冷凍庫に保管する。（給食 35-168）
- ☒ 食中毒の発生が疑われた場合、検便結果表を用いて調理担当者の菌・ウイルス感染を確認する。（給食 37-170）
- ◯ 食中毒の発生が疑われた場合、検収簿を用いて食材料の納品温度を確認する。（給食 37-170）
- ◯ 介護老人保健施設の給食における危機管理対策として、災害・事故発生を想定し、他施設との連携体制を確保する。（給食 35-167）

WORD **21**

16 介護老人保健施設の給食における危機管理対策として、自然災害時の備蓄食品を、１日分確保する。

17 病院における災害用備蓄食品は、１か所にまとめて保管する。

☒ 介護老人保健施設の給食における危機管理対策として、自然災害時の備蓄食品を、3日分以上確保する。（給食　35-167）

☒ 病院における災害用備蓄食品は、数か所に分散して保管する。（給食　38-170）

WORD **22**

給食経営管理

1	給食経営管理におけるトータルシステムは、給食経営の管理業務ごとにマネジメントサイクルを回し、それらを連動させて機能させる仕組みである。
2	食材料管理において、貯蔵食品の在庫量は、食品受払簿により管理する。
3	給食に関わる調理機器の修繕費は、経費にあたる。
4	給食に関わる調理従事者の検便費は、人件費にあたる。
5	在庫食品は、発注から納品までの期間に不足しない量を確保する。
6	一定期間の給与栄養素量は、栄養出納表で用いる。
7	社員食堂へのヘルシーメニュー導入を目的として年齢や業務内容で利用者集団を細分化することは、マーケティングプロセスのプロモーション戦略である。
8	社員食堂へのヘルシーメニュー導入を目的として他のメニューとの違いや価値を明確にするのは、マーケティングプロセスのポジショニングである。
9	給食施設におけるインシデントレポートは、調理従事者に危害が及んだ事故について記載する。
10	事業所給食において料理紹介のポップを食堂入口に設置することは、マーケティング・ミックスのプロダクト（Product）である。
11	事業所給食におけるヘルシーメニューの割引は、マーケティング・ミックスのプライス（Price）である。
12	事業所給食において真空調理を用いた新メニューを開発することは、マーケティング・ミックスのプロモーション（Promotion）である。
13	事業所給食において食堂のテーブルを増設することは、マーケティング・ミックスのプロモーション（Promotion）である。
14	事業所給食での利用者がメニューの特徴を確認できるよう、SNSで情報を発信するのは、マーケティングの4Cのうち、顧客価値（Customer Value）である。

○	給食経営管理におけるトータルシステムは、給食経営の管理業務ごとにマネジメントサイクルを回し、それらを連動させて機能させる仕組みである。（給食　37-155）
○	食材料管理において、貯蔵食品の在庫量は、食品受払簿により管理する。（給食　38-163）
○	給食に関わる調理機器の修繕費は、経費にあたる。（給食　34-159）
×	給食に関わる調理従事者の検便費は、経費にあたる。（給食　34-159）
○	在庫食品は、発注から納品までの期間に不足しない量を確保する。（給食　36-164）
○	一定期間の給与栄養素量は、栄養出納表で用いる。（給食　36-161）
×	社員食堂へのヘルシーメニュー導入を目的として年齢や業務内容で利用者集団を細分化することは、マーケティングプロセスのセグメンテーションである。（給食　38-158）
○	社員食堂へのヘルシーメニュー導入を目的として他のメニューとの違いや価値を明確にするのは、マーケティングプロセスのポジショニングである。（給食　38-158）
×	給食施設におけるアクシデントレポートは、調理従事者に危害が及んだ事故について記載する。（給食　38-169）
×	事業所給食において料理紹介のポップを食堂入口に設置することは、マーケティング・ミックスのプロモーション（Promotion）である。（給食　34-160）
○	事業所給食におけるヘルシーメニューの割引は、マーケティング・ミックスのプライス（Price）である。（給食　34-160）
×	事業所給食において真空調理を用いた新メニューを開発することは、マーケティング・ミックスのプロダクト（Product）である。（給食　34-160）
×	事業所給食において食堂のテーブルを増設することは、マーケティング・ミックスのプレイス（Place）である。（給食　34-160）
×	事業所給食での利用者がメニューの特徴を確認できるよう、SNSで情報を発信するのは、マーケティングの4Cのうち、コミュニケーション（Communication）である。（給食　35-160）

WORD **22**

15 事業所給食での利用者が食塩摂取量を抑えられるよう、ヘルシーメニューを提供するのは、マーケティングの4Cのうち、顧客価値（Customer Value）である。

16 事業所給食での利用者が選択する楽しみを広げられるよう、メニュー数を増やすのは、マーケティングの4Cのうち、顧客コスト（Customer Cost）である。

17 事業所給食での利用者が健康的な食事を安価に利用できるよう、割引クーポンを発行するのは、マーケティングの4Cのうち、コミュニケーション（Communication）である。

18 食品構成表は、一定期間における1人1日当たりの提供量の目安を、食品群別に示したものである。

19 コンベンショナルシステムでは、加熱調理後に急速冷却した料理を提供日まで冷蔵保存するための設備を要する。

20 セントラルキッチンシステムでは、サテライトキッチンで調理した料理をセントラルキッチンで盛り付ける。

21 クックサーブシステムは、調理後、冷凍保存するシステムである。

22 クックチルシステムは、クックサーブシステムに比べ、労働生産性が低くなる。

23 クックチルシステムは、提供直前に中心温度65℃、1分間以上で再加熱する。

24 クックチルシステムとは、調理済み食品を購入し、提供するシステムである。

25 クックチルシステムでは、提供日より前倒しで計画生産が可能である。

26 クックチルシステムでは、加熱調理後は90分以内に10℃まで冷却する。

27 クックチルシステムで調理した料理の保存期間は、最長10日である。

○	事業所給食での利用者が食塩摂取量を抑えられるよう、ヘルシーメニューを提供するのは、マーケティングの4Cのうち、顧客価値（Customer Value）である。（給食　35-160）
☒	事業所給食での利用者が選択する楽しみを広げられるよう、メニュー数を増やすのは、マーケティングの4Cのうち、顧客価値（Customer Value）である。（給食　35-160）
☒	事業所給食での利用者が健康的な食事を安価に利用できるよう、割引クーポンを発行するのは、マーケティングの4Cのうち、顧客コスト（Customer Cost）である。（給食　35-160）
○	食品構成表は、一定期間における1人1日当たりの提供量の目安を、食品群別に示したものである。（給食　38-160）
☒	レディフードシステムでは、加熱調理後に急速冷却した料理を提供日まで冷蔵保存するための設備を要する。（給食　35-165）
☒	セントラルキッチンシステムでは、セントラルキッチンで調理した料理をサテライトキッチンで盛り付ける。（給食　35-165）
☒	クックフリーズシステムは、調理後、冷凍保存するシステムである。（給食　36-165）
☒	クックチルシステムは、クックサーブシステムに比べ、労働生産性が高くなる。（給食　34-167）
☒	クックチルシステムは、提供直前に中心温度75℃、1分間以上で再加熱する。（給食　37-166）
☒	クックチルシステムとは、加熱調理後に急速冷却し、冷蔵運搬後に再加熱して提供するシステムである。（給食　34-167）
○	クックチルシステムでは、提供日より前倒しで計画生産が可能である。（給食　34-167）
☒	クックチルシステムでは、加熱調理後は90分以内に中心温度を3℃以下まで冷却する。（給食　34-167）
☒	クックチルシステムで調理した料理の保存期間は、最長5日である。（給食　34-167）

WORD 22

28 アッセンブリーシステムでは、下処理室での作業は不要である。

29 冷気の強制対流によって、急速冷却を行う調理機器は、コールドテーブルである。

30 給食経営管理における食材料管理には、調味の標準化が含まれる。

31 給食経営管理における施設・設備管理には、在庫食品の棚卸しが含まれる。

32 給食の設計品質は、作業指示書で示される。

33 給食の品質管理における評価項目のうち、献立の栄養成分値は総合品質にあたる。

34 給食の品質管理における評価項目のうち、盛り残した量は設計品質にあたる。

35 給食の品質管理における評価項目のうち、提供時の温度は適合（製造）品質にあたる。

36 給食の適合（製造）品質は、検食で評価する。

37 給食の品質管理において、調理従事者の満足度は総合品質の評価項目である。

38 給食の総合品質の改善には、PDCA サイクルを活用する。

39 回転釜を用いたじゃがいもの煮物の品質管理として、消火のタイミングは余熱を考慮する。

40 回転釜を用いた、じゃがいもの煮物では少量調理と比較して、じゃがいもに対するだし汁の割合を少なくする。

- ○ アッセンブリーシステムでは、下処理室での作業は不要である。(給食 35-165)
- × 冷気の強制対流によって、急速冷却を行う調理機器は、ブラストチラーである。(給食 35-159)
- × 給食経営管理における品質管理には、調味の標準化が含まれる。(給食 34-155)
- × 給食経営管理における食材料管理には、在庫食品の棚卸しが含まれる。(給食 34-155)
- ○ 給食の設計品質は、作業指示書で示される。(給食 34-165)
- × 給食の品質管理における評価項目のうち、献立の栄養成分値は設計品質にあたる。(給食 36-162)
- × 給食の品質管理における評価項目のうち、盛り残した量は適合(製造)品質にあたる。(給食 36-162)
- ○ 給食の品質管理における評価項目のうち、提供時の温度は適合(製造)品質にあたる。(給食 36-162)
- ○ 給食の適合(製造)品質は、検食で評価する。(給食 34-165)
- × 給食の品質管理において、喫食者の満足度は総合品質の評価項目である。(給食 38-161)
- ○ 給食の総合品質の改善には、PDCA サイクルを活用する。(給食 34-165)
- ○ 回転釜を用いたじゃがいもの煮物の品質管理として、消火のタイミングは余熱を考慮する。(給食 34-164)
- ○ 回転釜を用いた、じゃがいもの煮物では少量調理と比較して、じゃがいもに対するだし汁の割合を少なくする。(給食 38-162)

WORD 22

出るトコ徹底分析！

原価構成、生産・提供システムの種類

原価構成

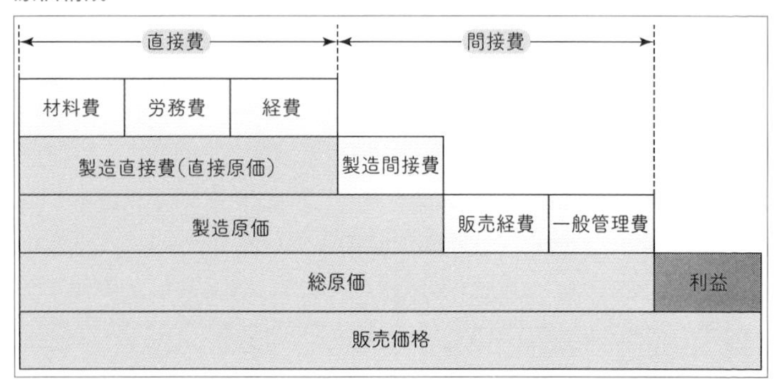

生産・提供システム

システム	概要
コンベンショナルシステム	生産と提供を、喫食時間に合わせて同一施設で行う当日調理・当日喫食の従来のシステム クックサーブ
レディフードシステム	事前に調理された料理を保管し、喫食時間に合わせて再加熱し提供する クックチル、クックフリーズ、真空調理
セントラルキッチンシステム（カミサリーシステム）	食材の調達と調理を１か所（セントラルキッチン）で行い、各施設に配送し、提供する 各施設の厨房（サテライトキッチン）で一部の調理や再加熱を行うこともある
アッセンブリーシステム	できあがった料理として購入し、提供前に加熱を行う

RANK

B

ほぼ毎年出題！

Ｂランクにまとめられているワードも、過去の国家試験においてほぼ毎年出題され、Ａランクと同様にしっかり押さえておくべき重要なよく出るワードです。

より系統立てて覚えられるよう、ライフステージの順など、関連ワードを整理して並べています。

WORD **23**

臨床検査・治療法・疾病予防

1 ウエスト周囲長の測定は、皮下脂肪蓄積量の推定に用いる。

2 生体電気インピーダンス（BIA）法は、脂肪組織が除脂肪組織より電気を通しやすいことを利用している。

3 上腕三頭筋皮下脂肪厚は、対象者の利き腕で計測する。

4 生体指標は、食事摂取状況を反映しない。

5 栄養アセスメントに用いる指標のうち、半減期が約3日の血液成分は、トランスフェリンである。

6 JCS（Japan Coma Scale）は、呼吸機能の指標である。

7 吐血は、気道からの出血である。

8 血中尿素窒素は、たんぱく質の異化亢進で減少する。

9 血中CRP値は、炎症で低下する。

10 抗GAD（抗グルタミン酸脱炭酸酵素）抗体は、自己抗体である。

11 MRI検査は、X線を利用して画像を得る。

12 放射線治療では、正常細胞は影響を受けない。

13 スパイロメトリは、拘束性肺障害の診断に用いられる。

14 自己血輸血では、GVHD（移植片対宿主病）がみられる。

15 交差適合試験は、輸血の後に行う。

16 臓器移植では、ヒト白血球型抗原（HLA）の適合を判定する。

17 LDL吸着療法（LDLアフェレーシス）は、家族性高コレステロール血症の患者に行う。

18 C型肝炎に対する抗ウイルス療法は、原因療法である。

19 急性胆のう炎に対する胆のう摘出術は、保存療法である。

20 早期胃がんに対する手術療法は、対症療法である。

21 発熱の患者に対する解熱鎮痛薬投与は、原因療法である。

22 住民を対象とするがん検診は、一次予防である。

出題科目 ► 社会 人体 応用

☒ ウエスト周囲長の測定は、内臓脂肪蓄積量の推定に用いる。（応用　36-82）

☒ 生体電気インピーダンス（BIA）法は、除脂肪組織が脂肪組織より電気を通しやすいことを利用している。（応用　38-82）

☒ 上腕三頭筋皮下脂肪厚は、対象者の利き腕と反対側の腕で計測する。（応用　38-82）

☒ 生体指標は、食事摂取状況を反映する。（応用　36-82）

☒ 栄養アセスメントに用いる指標のうち、半減期が約 3 日の血液成分は、トランスサイレチンである。（応用　36-83）

☒ JCS（Japan Coma Scale）は、意識障害の指標である。（人体　36-24）

☒ 吐血は、消化管からの出血である。（人体　36-24）

☒ 血中尿素窒素は、たんぱく質の異化亢進で増加する。（人体　35-24）

☒ 血中 CRP 値は、炎症で上昇する。（人体　37-24）

○ 抗 GAD（抗グルタミン酸脱炭酸酵素）抗体は、自己抗体である。（人体　37-24）

☒ CT 検査は、X 線を利用して画像を得る。（人体　37-24）

☒ 放射線治療では、正常細胞が影響を受ける。（人体　37-25）

○ スパイロメトリは、拘束性肺障害の診断に用いられる。（人体　34-24）

☒ 同種血輸血では、GVHD（移植片対宿主病）がみられる。（人体　36-25）

☒ 交差適合試験は、輸血の前に行う。（人体　37-25）

○ 臓器移植では、ヒト白血球型抗原（HLA）の適合を判定する。（人体　35-24）

○ LDL 吸着療法（LDL アフェレーシス）は、家族性高コレステロール血症の患者に行う。（人体　36-25）

○ C 型肝炎に対する抗ウイルス療法は、原因療法である。（人体　38-23）

☒ 急性胆のう炎に対する胆のう摘出術は、根治療法である。（人体　38-23）

☒ 早期胃がんに対する手術療法は、根治療法である。（人体　38-23）

☒ 発熱の患者に対する解熱鎮痛薬投与は、対症療法である。（人体　37-25）

☒ 住民を対象とするがん検診は、二次予防である。（社会　37-1）

WORD 23

23 ヒトパピローマウイルス（HPV）ワクチン接種は、二次予防である。

24 職場におけるストレスチェックは、三次予防である。

25 精神障害者に対する社会復帰支援は、三次予防である。

出るトコ徹底分析！

疾病予防（一次～三次）

疾病予防

一次予防（予防系）	二次予防（検査系）	三次予防（訓練系）
疾病や健康障害の発生防止と健康増進	疾病の早期発見・早期治療による進展の防止及び検診（健診）の実施	適切な治療・指導による疾病の悪化予防と治癒、機能障害・能力低下の防止
・体力づくりや栄養改善 ・予防接種などの特異的予防 ・高血圧予防のための減塩 ・肥満予防のための減量 ・特定健診・特定保健指導 ・生活衛生環境の改善 など	・がん検診 ・自殺の電話相談 ・集団検診 ・スクールカウンセリング ・検診や人間ドック ・スクリーニング検査 など	・腎不全患者の人工透析 ・脳卒中患者の機能回復訓練（社会復帰／リハビリテーション） ・エイズ患者のカウンセリングサービス など

☒ ヒトパピローマウイルス（HPV）ワクチン接種は、一次予防である。（社会　37-1）

☒ 職場におけるストレスチェックは、一次予防である。（社会　37-1）

◯ 精神障害者に対する社会復帰支援は、三次予防である。（社会　37-1）

WORD

24 感染症

1 潜伏期とは、発症してから治癒するまでの期間である。

2 耐性菌とは、薬物に対して感受性をもつ細菌である。

3 ポリメラーゼ連鎖反応（PCR）法は、病原体由来の DNA を検出する。

4 検疫法により検疫の対象となる感染症は、ジカウイルス感染症である。

5 不顕性感染とは、感染しても症状が現れない感染をいう。

6 不顕性感染は、病原性の低い病原体による感染をいう。

7 垂直感染とは、病原体が輸血によって伝播する感染様式である。

8 コレラは、1 類感染症である。

9 痘そうは、2 類感染症である。

10 細菌性赤痢は、3 類感染症である。

11 ペストは、4 類感染症である。

12 結核は、5 類感染症である。

13 結核は、新興感染症である。

14 デング熱は、新興感染症である。

15 再興感染症とは、同一患者に繰り返し発症する感染症をいう。

16 E 型肝炎は、イノシシ肉の生食で起こる。

17 E 型肝炎は、感染症法により、医師の診断後直ちに保健所長を通じて都道府県知事へ届け出る疾患である。

18 オウム病の病原体は、リケッチアである。

19 梅毒の病原体は、クラミジアである。

出題科目 ▶ 社会 人体

☒ 潜伏期とは、病原体に感染してから症状が出現するまでの期間である。（人体 36-42）

☒ 耐性菌とは、薬物に対して耐性をもつ細菌である。（人体 36-42）

○ ポリメラーゼ連鎖反応（PCR）法は、病原体由来の DNA を検出する。（人体 36-42）

○ 検疫法により検疫の対象となる感染症は、ジカウイルス感染症である。（社会 35-10）

○ 不顕性感染とは、感染しても症状が現れない感染をいう。（人体 37-42）

☒ 日和見感染は、病原性の低い病原体による感染をいう。（人体 38-42）

☒ 垂直感染とは、母体から胎児や新生児、乳児へ伝播する感染様式である。（人体 36-42）

☒ コレラは、3 類感染症である。（社会 37-11）

☒ 痘そうは、1 類感染症である。（社会 37-11）

○ 細菌性赤痢は、3 類感染症である。（社会 37-11）

☒ ペストは、1 類感染症である。（社会 37-11）

☒ 結核は、2 類感染症である。（社会 37-11）

☒ 結核は、再興感染症である。（人体 37-42）

☒ デング熱は、再興感染症である。（人体 38-42）

☒ 再興感染症とは、すでに存在していて、近年再流行しはじめた感染症をいう。（人体 37-42）

○ E 型肝炎は、イノシシ肉の生食で起こる。（人体 38-42）

○ E 型肝炎は、感染症法により、医師の診断後直ちに保健所長を通じて都道府県知事へ届け出る疾患である。（社会 34-11）

☒ オウム病の病原体は、クラミジアである。（人体 38-42）

☒ 梅毒の病原体は、梅毒トレポネーマである。（人体 38-42）

WORD 24

出るトコ徹底分析！

予防接種、感染症の分類

予防接種

定期接種		任意接種
A類疾病	B類疾病	
○ジフテリア ○百日咳 ○急性灰白髄炎（ポリオ） ○麻しん ○風しん ○日本脳炎 ○破傷風 ○結核 ○Hib感染症（ヘモフィルスインフルエンザ菌b型） ○肺炎球菌感染症（小児） ○ヒトパピローマウイルス感染症 ○水痘 ○B型肝炎 ○ロタウイルス感染症	○インフルエンザ（高齢者） ○肺炎球菌感染症（高齢者）	○流行性耳下腺炎 ○黄熱 ○A型肝炎 ○成人用ジフテリアトキソイド ○狂犬病 ○破傷風トキソイド ○髄膜炎菌 ○帯状疱疹（50歳以上）

定期接種のA類は、「受けるよう努めなければならない（努力義務）」勧奨接種なんだね！

感染症の分類

分類	疾病
一類感染症	一　エボラ出血熱 二　クリミア・コンゴ出血熱 三　痘そう 四　南米出血熱 五　ペスト 六　マールブルグ病 七　ラッサ熱
二類感染症	一　急性灰白髄炎 二　結核 三　ジフテリア 四　重症急性呼吸器症候群（病原体がベータコロナウイルス属 SARS コロナウイルスであるものに限る。） 五　中東呼吸器症候群（病原体がベータコロナウイルス属 MERS コロナウイルスであるものに限る。） 六　鳥インフルエンザ（特定鳥インフルエンザ）
三類感染症	一　コレラ 二　細菌性赤痢 三　腸管出血性大腸菌感染症 四　腸チフス 五　パラチフス
四類感染症	一　E 型肝炎 二　A 型肝炎 三　黄熱 四　Q 熱 五　狂犬病 六　炭疽 七　鳥インフルエンザ（特定鳥インフルエンザを除く。） 八　ボツリヌス症 九　マラリア 十　野兎病 十一　前各号に掲げるもののほか、既に知られている感染性の疾病であって、動物又はその死体、飲食物、衣類、寝具その他の物件を介して人に感染し、前各号に掲げるものと同程度に国民の健康に影響を与えるおそれがあるものとして政令で定めるもの

WORD 24

出るトコ徹底分析！

予防接種、感染症の分類（続き）

感染症の分類（続き）

五類感染症	一　インフルエンザ（鳥インフルエンザ及び新型インフルエンザ等感染症を除く。） 二　ウイルス性肝炎（E型肝炎及びA型肝炎を除く。） 三　クリプトスポリジウム症 四　後天性免疫不全症候群 五　性器クラミジア感染症 六　梅毒 七　麻しん 八　メチシリン耐性黄色ブドウ球菌感染症 九　前各号に掲げるもののほか、既に知られている感染性の疾病（四類感染症を除く。）であって、前各号に掲げるものと同程度に国民の健康に影響を与えるおそれがあるものとして厚生労働省令で定めるもの
新型インフルエンザ等感染症	一　新型インフルエンザ（新たに人から人に伝染する能力を有することとなったウイルスを病原体とするインフルエンザであって、一般に国民が当該感染症に対する免疫を獲得していないことから、当該感染症の全国的かつ急速なまん延により国民の生命及び健康に重大な影響を与えるおそれがあると認められるものをいう。） 二　再興型インフルエンザ（かつて世界的規模で流行したインフルエンザであってその後流行することなく長期間が経過しているものとして厚生労働大臣が定めるものが再興したものであって、一般に現在の国民の大部分が当該感染症に対する免疫を獲得していないことから、当該感染症の全国的かつ急速なまん延により国民の生命及び健康に重大な影響を与えるおそれがあると認められるものをいう。） 三　新型コロナウイルス感染症（新たに人から人に伝染する能力を有することとなったコロナウイルスを病原体とする感染症であって、一般に国民が当該感染症に対する免疫を獲得していないことから、当該感染症の全国的かつ急速なまん延により国民の生命及び健康に重大な影響を与えるおそれがあると認められるものをいう。） 四　再興型コロナウイルス感染症（かつて世界的規模で流行したコロナウイルスを病原体とする感染症であってその後流行することなく長期間が経過しているものとして厚生労働大臣が定めるものが再興したものであって、一般に現在の国民の大部分が当該感染症に対する免疫を獲得していないことから、当該感染症の全国的かつ急速なまん延により国民の生命及び健康に重大な影響を与えるおそれがあると認められるものをいう。）

指定感染症	既に知られている感染性の疾病（一類感染症、二類感染症、三類感染症及び新型インフルエンザ等感染症を除く。）であって、〔中略〕当該疾病のまん延により国民の生命及び健康に重大な影響を与えるおそれがあるものとして政令で定めるもの
新感染症	人から人に伝染すると認められる疾病であって、既に知られている感染性の疾病とその病状又は治療の結果が明らかに異なるもので、当該疾病にかかった場合の病状の程度が重篤であり、かつ、当該疾病のまん延により国民の生命及び健康に重大な影響を与えるおそれがあると認められるもの

「感染症の予防及び感染症の患者に対する医療に関する法律」第6条より
（最終改正：令和5年6月7日法律第47号）

WORD 25

血液

1 血液の pH は、炭酸・重炭酸緩衝系によって調節されている。

2 血液の pH は、6.35〜6.45 の範囲に調節されている。

3 心筋は、平滑筋である。

4 門脈を流れる血液は、動脈血である。

5 肺動脈を流れる血液は、動脈血である。

6 僧帽弁を通る血液は、動脈血である。

7 冠状動脈は、上行大動脈から分岐する。

8 動脈の容量は、静脈の容量より大きい。

9 リンパ（リンパ液）は、鎖骨下動脈に流入する。

10 胸管は、右鎖骨下動脈に流入する。

11 三尖弁は、左心房と左心室の間にある。

12 洞房結節は、左心房にある。

13 左心室の壁厚は、右心室の壁厚よりも薄い。

14 心電図の QRS 波は、心房の興奮を示す。

15 赤血球の寿命は、約 1 か月である。

16 末梢血中の赤血球は、核を持つ。

17 網赤血球は、寿命を終えた赤血球である。

18 血小板には、核が存在する。

19 単球が血管外へ遊走すると、形質細胞となる。

20 PAI-1 は、脂肪細胞で産生される。

21 喫煙者では、ヘモグロビン濃度が低下する。

22 血友病では、プロトロンビン時間が短縮する。

23 血友病では、ハプトグロビンが低下する。

24 チアノーゼは、血中還元ヘモグロビン濃度が低下した時にみられる。

○ 血液のpHは、炭酸・重炭酸緩衝系によって調節されている。（基礎 36-80）

☒ 血液のpHは、7.35～7.45の範囲に調節されている。（基礎 36-80）

☒ 心筋は、横紋筋である。（人体 36-29）

☒ 門脈を流れる血液は、静脈血である。（人体 37-29）

☒ 肺動脈を流れる血液は、静脈血である。（人体 36-29）

○ 僧帽弁を通る血液は、動脈血である。（人体 34-29）

○ 冠状動脈は、上行大動脈から分岐する。（人体 36-29）

☒ 動脈の容量は、静脈の容量より小さい。（人体 36-29）

☒ リンパ（リンパ液）は、鎖骨下静脈に流入する。（人体 36-29）

☒ 胸管は、左鎖骨下静脈に流入する。（人体 37-29）

☒ 三尖弁は、右心房と右心室の間にある。（人体 35-29）

☒ 洞房結節は、右心房にある。（人体 37-29）

☒ 左心室の壁厚は、右心室の壁厚よりも厚い。（人体 37-29）

☒ 心電図のQRS波は、心室の興奮を示す。（人体 35-29）

☒ 赤血球の寿命は、約120日である。（人体 35-38）

☒ 末梢血中の赤血球は、核を持たない。（人体 37-38）

☒ 網赤血球は、成熟赤血球の前段階の未熟な赤血球である。（人体 35-38）

☒ 血小板には、核が存在しない。（人体 36-38）

☒ 単球が血管外へ遊走すると、マクロファージとなる。（人体 37-38）

○ PAI-1は、脂肪細胞で産生される。（人体 37-38）

☒ 喫煙者では、ヘモグロビン濃度が増加する。（人体 38-39）

☒ 血友病では、プロトロンビン時間は正常に保たれる。（人体 38-39）

☒ 溶血性貧血では、ハプトグロビンが低下する。（人体 34-39）

☒ チアノーゼは、血中還元ヘモグロビン濃度が上昇した時にみられる。（人体 36-24）

WORD 25

25 アルカローシスは、血液が正常範囲から酸性に傾く状態である。

26 鉄欠乏性貧血では、出血傾向がみられる。

27 悪性貧血では、内因子の作用が増強している。

28 腎性貧血では、血中エリスロポエチン値が上昇する。

29 再生不良性貧血では、造血幹細胞が増加している。

30 再生不良性貧血では、白血球数が増加する。

31 溶血性貧血では、黄疸がみられる。

32 溶血性貧血の主な原因は、銅の摂取不足である。

33 播種性血管内凝固症候群（DIC）では、フィブリン分解産物（FDP）が減少する。

34 特発性血小板減少性紫斑病（ITP）には、ヘリコバクター・ピロリ菌感染が関与する。

35 多発性骨髄腫では、低カルシウム血症が起こる。

36 急性白血病では、出血傾向がみられる。

37 急性白血病では、赤血球数が増加する。

38 成人T細胞白血病は、ヒト免疫不全ウイルス（HIV）によって起こる。

出るトコ徹底分析！

貧血

平均赤血球容積（MCV）による貧血の分類

小球性低色素性貧血	鉄欠乏性貧血
正球性正色素性貧血	溶血性貧血、腎性貧血、再生不良性貧血
大球性正色素性貧血	巨赤芽球性貧血（ビタミン B_{12} 欠乏性貧血、悪性貧血、葉酸欠乏性貧血）、再生不良性貧血

- ☒ アルカローシスは、血液が正常範囲からアルカリ性に傾く状態である。（基礎　36-80）
- ☒ 鉄欠乏性貧血では、出血傾向がみられない。（人体　38-38）
- ☒ 悪性貧血では、内因子の作用が低下している。（人体　38-38）
- ☒ 腎性貧血では、血中エリスロポエチン値が低下する。（人体　38-38）
- ☒ 再生不良性貧血では、造血幹細胞が減少している。（人体　36-39）
- ☒ 再生不良性貧血では、白血球数が減少する。（人体　38-38）
- ○ 溶血性貧血では、黄疸がみられる。（人体　38-38）
- ☒ 溶血性貧血の主な原因は、赤血球の破壊である。（応用　38-96）
- ☒ 播種性血管内凝固症候群（DIC）では、フィブリン分解産物（FDP）が増加する。（人体　38-39）
- ○ 特発性血小板減少性紫斑病（ITP）には、ヘリコバクター・ピロリ菌感染が関与する。（人体　38-39）
- ☒ 多発性骨髄腫では、高カルシウム血症が起こる。（人体　36-39）
- ○ 急性白血病では、出血傾向がみられる。（人体　36-39）
- ☒ 急性白血病では、赤血球数が減少する。（人体　38-39）
- ☒ 成人T細胞白血病は、ヒトT細胞白血病ウイルス-1型（HTLV-1）によって起こる。（人体　36-39）

貧血の特徴を整理しておきましょう！

WORD

26 人体の構成と核酸の構造・機能

1 細胞周期は、G1 期→ M 期→ G2 期→ S 期の順に進行する。

2 線毛を持つ上皮で内腔が覆われる器官は、小腸である。

3 電解質の分布は、細胞外液と細胞内液で同じである。

4 細胞内液では、カリウムイオン濃度よりナトリウムイオン濃度が高い。

5 血中ナトリウム濃度の上昇は、血漿浸透圧を低下させる。

6 高張性脱水では、血漿浸透圧が低下している。

7 低張性脱水では、細胞外液から細胞内液へ水が移動する。

8 低張性脱水では、血漿ナトリウムイオン濃度が上昇する。

9 低張性脱水では、血圧が低下する。

10 血漿アルブミン濃度が低下すると、膠質浸透圧が上昇する。

11 成人の体水分の分布は、細胞内液よりも細胞外液の方が多い。

12 ヒトの mRNA は、核小体で生成される。

13 ヒトの mRNA は、チミンを含む。

14 ヒトの mRNA は、コドンをもつ。

15 ヒトの mRNA は、プロモーター領域をもつ。

16 mRNA の遺伝情報は、核内で翻訳される。

17 DNA の構成糖は、リボースである。

18 ヒストンは、DNA と複合体を形成する。

19 核では、遺伝情報の翻訳が行われる。

20 イントロンは、転写されない。

21 プロテアソームでは、たんぱく質の合成が行われる。

22 ゴルジ体では、遺伝情報の翻訳が行われる。

23 ゴルジ体では、酸化的リン酸化が行われる。

24 ミトコンドリアは、ミトコンドリア独自の DNA をもつ。

出題科目 ▶ 人体 基礎 応用

☒ 細胞周期は、G1 期→ S 期→ G2 期→ M 期の順に進行する。（人体　38-17）

☒ 線毛を持つ上皮で内腔が覆われる器官は、気管である。（人体　37-17）

☒ 電解質の分布は、細胞外液と細胞内液で同じでない。（基礎　36-80）

☒ 細胞内液では、ナトリウムイオン濃度よりカリウムイオン濃度が高い。（基礎　37-79）

☒ 血中ナトリウム濃度の上昇は、血漿浸透圧を上昇させる。（基礎　36-80）

☒ 高張性脱水では、血漿浸透圧が上昇している。（応用　36-82）

◯ 低張性脱水では、細胞外液から細胞内液へ水が移動する。（基礎　37-79）

☒ 低張性脱水では、血漿ナトリウムイオン濃度が低下する。（基礎　38-80）

◯ 低張性脱水では、血圧が低下する。（基礎　38-80）

☒ 血漿アルブミン濃度が低下すると、膠質浸透圧が低下する。（基礎　34-79）

☒ 成人の体水分の分布は、細胞内液よりも細胞外液の方が少ない。（基礎　35-79）

☒ ヒトの mRNA は、核内の核小体以外の場所で生成される。（人体　36-19）

☒ ヒトの mRNA は、ウラシルを含む。（人体　36-19）

◯ ヒトの mRNA は、コドンをもつ。（人体　36-19）

☒ ヒトの mRNA は、プロモーター領域をもたない。（人体　36-19）

☒ mRNA の遺伝情報は、細胞質のリボソームで翻訳される。（人体　36-19）

☒ DNA の構成糖は、デオキシリボースである。（人体　37-19）

◯ ヒストンは、DNA と複合体を形成する。（人体　37-19）

☒ 核では、遺伝情報の転写が行われる。（人体　35-17）

☒ イントロンは、転写される。（人体　37-19）

☒ プロテアソームでは、たんぱく質の分解が行われる。（人体　35-17）

☒ リボソームでは、遺伝情報の翻訳が行われる。（人体　38-17）

☒ ミトコンドリアでは、酸化的リン酸化が行われる。（人体　35-17）

◯ ミトコンドリアは、ミトコンドリア独自の DNA をもつ。（人体　38-17）

25 β酸化は、ミトコンドリアで行われる。

26 脱共役たんぱく質（UCP）は、ミトコンドリア内膜に存在する。

27 リソソームは、たんぱく質の合成を行う。

28 脂質二重膜は、リン脂質の疎水性部分が外側にある。

29 マクロファージは、好中球から分化する。

30 形質細胞は、T 細胞から分化する。

31 アデニンの最終代謝産物は尿酸である。

32 倹約（節約）遺伝子は、積極的にエネルギーを消費するように変異した遺伝子である。

33 β_3アドレナリン受容体遺伝子の変異は、肥満のリスクを高める。

出るトコ徹底分析！

細胞の構造

細胞の構造と主な働き

- 核：DNA（遺伝情報の本体）の複製、RNA への転写
- リボソーム：mRNA の情報に基づいてたんぱく質を合成
- ミトコンドリア：ATP を合成
- 滑面小胞体：脂質の合成、カルシウムの貯蔵
- 粗面小胞体：リボソームが付着し、たんぱく質を合成
- ゴルジ体：たんぱく質の修飾

- ◯ β酸化は、ミトコンドリアで行われる。(人体　38-20)
- ◯ 脱共役たんぱく質（UCP）は、ミトコンドリア内膜に存在する。(人体　34-20)
- ☒ リソソームは、たんぱく質の分解を行う。(人体　38-17)
- ☒ 脂質二重膜は、リン脂質の疎水性部分が内側にある。(人体　38-17)
- ☒ マクロファージは、単球から分化する。(人体　36-17)
- ☒ 形質細胞は、B 細胞から分化する。(人体　36-17)
- ◯ アデニンの最終代謝産物は尿酸である。(人体　34-19)
- ☒ 倹約（節約）遺伝子は、積極的にエネルギーを蓄積するように変異した遺伝子である。(基礎　35-68)
- ◯ β_3アドレナリン受容体遺伝子の変異は、肥満のリスクを高める。(基礎　35-68)

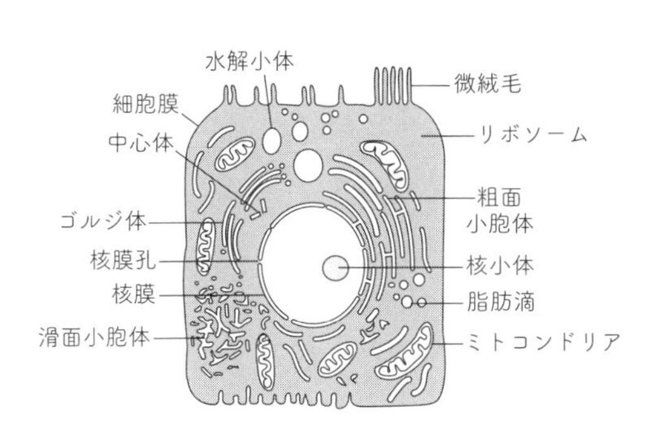

WORD **27**

肥満・代謝疾患

1	BMI 35kg/m^{2}以上を、高度肥満と定義する。
2	メタボリックシンドロームの診断基準では、空腹時血糖値は 100mg/dL 以上である。
3	メタボリックシンドロームの診断基準には、LDL コレステロールが含まれる。
4	肥満症の診断基準に必須な健康障害として、脂質異常症がある。
5	肥満症の診断基準に必須な健康障害として、高血圧がある。
6	肥満症の診断基準に必須な健康障害として、閉塞性睡眠時無呼吸症候群（OSAS）がある。
7	肥満症の診断基準に必須な健康障害として、変形性関節症がある。
8	メープルシロップ尿症患者はエネルギー摂取量を制限する。
9	メープルシロップ尿症では、フェニルアラニン制限食とする。
10	メープルシロップ尿症患者の血中ロイシン値は高値を示す。
11	メープルシロップ尿症患者の栄養管理においては、尿中ホモシスチン排泄量をモニタリングする。
12	フェニルケトン尿症では、チロシンが体内に蓄積する。
13	フェニルケトン尿症では、乳糖制限食とする。
14	ホモシスチン尿症では、メチオニン制限食とする。
15	ガラクトース血症では、分枝アミノ酸制限食とする。
16	高カイロミクロン血症では、脂質の摂取エネルギー比率を 20% E 以上とする。
17	高 LDL-コレステロール血症の栄養管理では、炭水化物の摂取エネルギー比率を 40% E 未満とする。

出題科目 ▶ 社会 人体 臨床

- ○ BMI 35kg/m^2以上を、高度肥満と定義する。（社会　37-10）
- × メタボリックシンドロームの診断基準では、空腹時血糖値は110mg/dL以上である。（社会　37-10）
- × メタボリックシンドロームの診断基準には、HDLコレステロールが含まれる。（社会　37-10）
- ○ 肥満症の診断基準に必須な健康障害として、脂質異常症がある。（人体　34-27）
- ○ 肥満症の診断基準に必須な健康障害として、高血圧がある。（人体　34-27）
- ○ 肥満症の診断基準に必須な健康障害として、閉塞性睡眠時無呼吸症候群（OSAS）がある。（人体　34-27）
- ○ 肥満症の診断基準に必須な健康障害として、変形性関節症がある。（人体　34-27）
- × メープルシロップ尿症患者はエネルギー摂取量を制限しない。（臨床　38-136）
- × メープルシロップ尿症では、分枝アミノ酸制限食とする。（臨床　34-136）
- ○ メープルシロップ尿症患者の血中ロイシン値は高値を示す。（臨床　38-136）
- × ホモシスチン尿症患者の栄養管理においては、尿中ホモシスチン排泄量をモニタリングする。（臨床　38-136）
- × フェニルケトン尿症では、チロシンが体内で減少する。（人体　35-26）
- × フェニルケトン尿症では、フェニルアラニン制限食とする。（臨床　34-136）
- ○ ホモシスチン尿症では、メチオニン制限食とする。（臨床　34-136）
- × ガラクトース血症では、乳糖制限食とする。（臨床　34-136）
- × 高カイロミクロン血症では、脂質の摂取エネルギー比率を15%E以下とする。（臨床　34-122）
- × 高LDL-コレステロール血症の栄養管理では、炭水化物の摂取エネルギー比率を50～60%E程度とする。（臨床　34-121）

WORD 27

18 高 LDL コレステロール血症では、飽和脂肪酸の摂取エネルギー比率を 10% E とする。

19 高 LDL-コレステロール血症の栄養管理では、トランス脂肪酸の摂取を増やす。

20 高 LDL コレステロール血症では、コレステロールの摂取量を 400mg/日とする。

21 高 LDL-コレステロール血症の栄養管理では、食物繊維の摂取量を 10g/日以下とする。

22 低 HDL コレステロール血症では、トランス脂肪酸の摂取を増やす。

23 高トリグリセリド血症では、n-3 系脂肪酸の摂取を控える。

24 糖原病 I 型では、高血糖性の昏睡を生じやすい。

25 糖原病 I 型の幼児の栄養管理では、エネルギーを制限する。

26 糖原病 I 型の幼児の栄養管理では、たんぱく質を制限する。

27 糖原病 I 型の幼児の栄養管理では、コーンスターチを利用する。

28 糖尿病の合併症である高浸透圧高血糖状態は、急性合併症である。

29 糖尿病網膜症の初期にみられる自覚症状は、失明である。

30 糖尿病の合併症である起立性低血圧は、神経障害の症状である。

31 糖尿病の合併症である急性心筋梗塞は、大血管障害である。

32 糖尿病治療に関して、有酸素運動は、インスリン抵抗性を改善する。

33 糖尿病治療に関して、超速効型インスリン注射は、食後高血糖を改善する。

☒ 高LDLコレステロール血症では、飽和脂肪酸の摂取エネルギー比率を4.5〜7.0%未満とする。（臨床　35-122）

☒ 高LDL-コレステロール血症の栄養管理では、トランス脂肪酸の摂取を減らす。（臨床　34-121）

☒ 高LDLコレステロール血症では、コレステロールの摂取量を200mg/日未満とする。（臨床　35-122）

☒ 高LDL-コレステロール血症の栄養管理では、食物繊維の摂取量を25g/日以上とする。（臨床　34-121）

☒ 低HDLコレステロール血症では、トランス脂肪酸の摂取を減らす。（臨床　35-122）

☒ 高トリグリセリド血症では、n-3系脂肪酸の摂取を増やす。（臨床　35-122）

☒ 糖原病I型では、低血糖性の昏睡を生じやすい。（人体　35-26）

☒ 糖原病I型の幼児の栄養管理では、エネルギーを制限しない。（臨床　35-135）

☒ 糖原病I型の幼児の栄養管理では、たんぱく質を制限しない。（臨床　35-135）

◯ 糖原病I型の幼児の栄養管理では、コーンスターチを利用する。（臨床　35-135）

◯ 糖尿病の合併症である高浸透圧高血糖状態は、急性合併症である。（人体　38-24）

☒ 糖尿病網膜症の初期にみられる自覚症状は、無いことが多い。（人体　38-24）

◯ 糖尿病の合併症である起立性低血圧は、神経障害の症状である。（人体　38-24）

◯ 糖尿病の合併症である急性心筋梗塞は、大血管障害である。（人体　38-24）

◯ 糖尿病治療に関して、有酸素運動は、インスリン抵抗性を改善する。（臨床　34-120）

◯ 糖尿病治療に関して、超速効型インスリン注射は、食後高血糖を改善する。（臨床　34-120）

WORD 27

出るトコ徹底分析！

先天性代謝異常症、動脈硬化性疾患予防ガイドライン

先天性代謝異常症

	原因・症状	食事療法
ウィルソン病	血清セルロプラスミンが低下して銅の血中濃度が低下し、肝硬変や腎臓の尿細管障害が起こる。	銅を多く含む食品の制限
メープルシロップ尿症	分枝アミノ酸（ロイシン、イソロイシン、バリン）の脱炭酸反応を触媒するα-ケト酸脱水素酵素複合体が欠損する。	分枝アミノ酸の制限
糖原病	グリコーゲン分解酵素の欠損により、肝臓、筋肉、心臓、腎臓などにグリコーゲンが異常に蓄積して発症する。低血糖が主症状。	肝型糖原病では、乳糖・ショ糖除去､果糖の制限､特殊ミルク・コーンスターチの摂取
フェニルケトン尿症	フェニルアラニンをチロシンに変える酵素が欠乏し、血中のフェニルアラニンが上昇する。	フェニルアラニンの制限
ホモシスチン尿症	メチオニン代謝経路で、ホモシステインからシスタチオニンに変換されるシスタチオニン合成酵素が欠損し、ホモシステインの代謝物であるホモシスチンが蓄積する。	低メチオニン食、高シスチン食
ガラクトース血症	ガラクトースの分解酵素の欠損により、黄疸、肝脾腫、白内障、知能障害などを発症する。	乳糖制限

動脈硬化性疾患予防のための食事療法

1．過食に注意し、適正な体重を維持する

●総エネルギー摂取量（kcal/日）は、一般に目標とする体重（kg）*×身体活動量（軽い労作で25～30、普通の労作で30～35、重い労作で35～）を目指す

2．肉の脂身、動物脂、加工肉、鶏卵の大量摂取を控える
3．魚の摂取を増やし、低脂肪乳製品を摂取する

●脂肪エネルギー比率を20～25％、飽和脂肪酸エネルギー比率を7％未満、コレステロール摂取量を200mg/日未満に抑える
●n-3系多価不飽和脂肪酸の摂取を増やす
●トランス脂肪酸の摂取を控える

4．未精製穀類、緑黄色野菜を含めた野菜、海藻、大豆および大豆製品、ナッツ類の摂取量を増やす

●炭水化物エネルギー比率を50～60％とし、食物繊維は25g/日以上の摂取を目標とする

5．糖質含有量の少ない果物を適度に摂取し、果糖を含む加工食品の大量摂取を控える

6．アルコールの過剰摂取を控え、25g/日以下に抑える

7．食塩の摂取は6g/日未満を目標にする

* 18歳から49歳：[身長(m)]^2×18．5～24．9kg/m^2、50歳から64歳：[身長(m)]^2×20．0～24．9kg/m^2、65歳から74歳：[身長(m)]^2×21．5～24．9kg/m^2、75歳以上：[身長(m)]^2×21．5～24．9kg/m^2 とする

出典：日本動脈硬化学会編『動脈硬化性疾患予防ガイドライン2022年版』日本動脈硬化学会、101頁、2022年

WORD **28** 統計調査

1	人口構造の変化は、生命表で情報を得られる。
2	人口動態統計に関する業務は、市町村保健センターによって行われる。
3	わが国の患者調査は、毎年行われている。
4	わが国の患者調査の医療施設は、国勢調査の調査区から無作為抽出される。
5	わが国の患者調査の総患者数は、調査日当日に受診していない患者を含む。
6	通院者率は、患者調査で情報を得られる。
7	介護が必要な者の状況は、国民生活基礎調査で情報を得られる。
8	純再生産率は、人口動態調査で情報を得られる。
9	死因別死亡率は、国勢調査で情報を得られる。
10	年齢調整死亡率（直接法）は、基準人口の年齢別死亡率を用いて算出する。
11	年齢調整死亡率（直接法）では、基準人口の年齢構成によって、数値は変化する。
12	わが国の女性の最近5年間の年齢調整死亡率に関して、乳がんは胃がんより低い。
13	合計特殊出生率は、15～49歳の女性の年齢別出生率をもとに算出されている。
14	総再生産率は、母親世代の死亡率を考慮している。
15	平均寿命は、その年に死亡した者の年齢を平均して算出する。
16	平均寿命は、全ての年齢の死亡状況を集約したものである。
17	乳幼児の身体の発育の状態は、乳幼児栄養調査で情報を得られる。
18	公衆栄養アセスメントに用いる小学生の肥満傾向児の割合は、学校保健統計調査により把握される。

出題科目 ▶ 社会 公衆

☒ 人口構造の変化は、国勢調査で情報を得られる。（公衆　35-149）

☒ 人口動態統計に関する業務は、保健所によって行われる。（社会　37-15）

☒ わが国の患者調査は、3年に1度行われている。（社会　38-4）

☒ わが国の患者調査の医療施設は、病院の入院は二次医療圏別、病院の外来および診療所は都道府県別に無作為抽出される。（社会　38-4）

○ わが国の患者調査の総患者数は、調査日当日に受診していない患者を含む。（社会　38-4）

☒ 通院者率は、国民生活基礎調査で情報を得られる。（社会　36-16）

○ 介護が必要な者の状況は、国民生活基礎調査で情報を得られる。（公衆　35-149）

○ 純再生産率は、人口動態調査で情報を得られる。（社会　36-16）

☒ 死因別死亡率は、人口動態調査で情報を得られる。（社会　36-16）

☒ 年齢調整死亡率（直接法）は、観察人口の年齢別死亡率を用いて算出する。（社会　35-4）

○ 年齢調整死亡率（直接法）では、基準人口の年齢構成によって、数値は変化する。（社会　35-4）

☒ わが国の女性の最近5年間の年齢調整死亡率に関して、乳がんは胃がんより高い。（社会　35-9）

○ 合計特殊出生率は、15～49歳の女性の年齢別出生率をもとに算出されている。（社会　35-2）

☒ 純再生産率は、母親世代の死亡率を考慮している。（社会　35-2）

☒ 平均寿命は、0歳児の平均余命である。（社会　35-3）

○ 平均寿命は、全ての年齢の死亡状況を集約したものである。（社会　37-5）

☒ 乳幼児の身体の発育の状態は、乳幼児身体発育調査で情報を得られる。（公衆　35-149）

○ 公衆栄養アセスメントに用いる小学生の肥満傾向児の割合は、学校保健統計調査により把握される。（公衆　38-150）

WORD 28

出るトコ徹底分析！

衛生統計調査

主な衛生統計調査

調査名	区分	対象
国勢調査	基幹	全国民
人口動態統計	基幹	市町村　戸籍法、死産の届出に関する規定により
国民生活基礎調査	基幹	国民（無作為抽出）
衛生行政報告例	一般	各都道府県・指定都市・中核市
国民健康・栄養調査	一般	国民（無作為抽出）
学校保健統計調査	基幹	学校（無作為抽出）定期健康診断報告
食中毒統計	業務	保健所長　食品衛生法による報告
医療施設調査	基幹	医療施設
患者調査	基幹	医療機関（施設無作為抽出）

実施	主な調査項目
5年に1度（大規模調査は西暦の末尾が0、簡易調査は末尾が5の年）	総人口数、家族構成、配偶者の有無、住宅状況、就業状態等
毎月	出生率、死亡率、死因順位等
大規模は3年に1度、小規模は毎年	自覚症状、通院通所状況、悩みストレス状況、健康意識等
毎年（年報と隔年報）	精神保健福祉、栄養、生活衛生に関する衛生行政の実態
毎年	身体状況、栄養摂取状況、食生活状況、生活習慣状況、健診の受診状況等
毎年	身長、体重、疾病・異常被患率等
毎年	食中毒事件数、患者・死者数、原因物質、病因物質等
動態調査は毎月、静態調査は3年に1度	診療科目、従事者数、許可病床数等
3年に1度	患者数、退院患者数、受療率、在院日数等

ここが出る！基礎データ（265ページ）を参照して、最新の数値を押さえておきましょう！

WORD 29 疫学・スクリーニング

1 有病率が低くなると、陽性反応的中度は低くなる。

2 有病率が低くなると、陰性反応的中度は低くなる。

3 栄養スクリーニングでは、敏感度が高い方法を用いる。

4 栄養スクリーニングのSGAでは、採血が必要である。

5 栄養スクリーニングの簡易栄養状態評価表（MNA®）は、体重変化を含む。

6 特定の一時点において、曝露要因と疾病の有無との相関関係を分析するのは、横断研究である。

7 現在、疾病Aを有さない集団を追跡し、曝露要因の有無と疾病Aの発生との関連を分析するのは、症例対照研究である。

8 複数の分析疫学研究の結果を量的に総合評価するのは、生態学的研究である。

9 対象者を介入群と非介入群に無作為に分け、要因への曝露と疾病の発生との因果関係を検討するのは、コホート研究である。

10 現在の疾病の有無と過去の曝露要因の有無との関係について分析するのは、ランダム化比較対照試験（RCT）である。

11 ランダム化比較試験では、無作為割り付けを行う前に、インフォームド・コンセントを得る。

12 ランダム化比較試験では、未知の交絡因子を制御しにくい。

13 研究デザインによるエビデンスレベルの比較において、コホート研究は、ランダム化比較試験のメタアナリシスより高い。

14 研究デザインによるエビデンスレベルの比較において、ランダム化比較試験は、症例対照研究より高い。

15 研究デザインによるエビデンスレベルの比較において、生態学的研究は、コホート研究より高い。

出題科目 ▶ 社会 応用

- ○ 有病率が低くなると、陽性反応的中度は低くなる。（社会　37-6）
- ☒ 有病率が低くなると、陰性反応的中度は高くなる。（社会　37-6）
- ○ 栄養スクリーニングでは、敏感度が高い方法を用いる。（応用　37-83）
- ☒ 栄養スクリーニングの SGA では、採血が必要ではない。（応用　37-83）
- ○ 栄養スクリーニングの簡易栄養状態評価表（MNA®）は、体重変化を含む。（応用　37-83）
- ○ 特定の一時点において、曝露要因と疾病の有無との相関関係を分析するのは、横断研究である。（社会　36-5）
- ☒ 現在、疾病 A を有さない集団を追跡し、曝露要因の有無と疾病 A の発生との関連を分析するのは、コホート研究である。（社会　36-5）
- ☒ 複数の分析疫学研究の結果を量的に総合評価するのは、システマティックレビューによるメタアナリシスである。（社会　36-5）
- ☒ 対象者を介入群と非介入群に無作為に分け、要因への曝露と疾病の発生との因果関係を検討するのは、ランダム化比較対照試験（RCT）である。（社会　36-5）
- ☒ 現在の疾病の有無と過去の曝露要因の有無との関係について分析するのは、症例対照研究である。（社会　36-5）
- ○ ランダム化比較試験では、無作為割り付けを行う前に、インフォームド・コンセントを得る。（社会　34-4）
- ☒ ランダム化比較試験では、未知の交絡因子を制御しやすい。（社会　34-4）
- ☒ 研究デザインによるエビデンスレベルの比較において、コホート研究は、ランダム化比較試験のメタアナリシスより低い。（社会　38-6）
- ○ 研究デザインによるエビデンスレベルの比較において、ランダム化比較試験は、症例対照研究より高い。（社会　38-6）
- ☒ 研究デザインによるエビデンスレベルの比較において、生態学的研究は、コホート研究より低い。（社会　38-6）

WORD 29

出るトコ徹底分析！

スクリーニング

疫学研究の種類

種類		対象	研究方法	エビデンスレベル
システマティックレビュー メタアナリシス			臨床試験論文を収集し、その内容を総括して評価する。 システマティックレビューの中でもメタアナリシスがエビデンスレベルは最も高い。	高い
介入研究	ランダム化（無作為化）比較対照試験（RCT）	ある集団において、仮説として立てられた因子の曝露を受けている群と受けていない群	乱数表などを用いて研究対象者をランダム（無作為）に複数の群に分け、異なる介入（措置）を施し、群間で事象の発生率を比較する。	
縦断研究	コホート研究	ある集団において、仮説として立てられた因子の曝露を受けている群と受けていない群	ある因子の曝露状況が把握されている集団（コホート）を追跡観察する。	
縦断研究	症例対照研究	ある集団において、調査目的の疾病に罹患している群（症例群）と罹患していない群（対照群）	調査目的の疾病に罹患している群と罹患していない群に分けて、ある因子（性、年齢、時間、場所、生活習慣など）に過去に曝露していたか曝露していなかったかを調査・比較する。	
横断研究		ある集団（例：ある国、ある都道府県、ある市町村）の中の個人	個人を対象に、ある時点における疾病の有無と疑わしい因子の有無を比較し、その関連を研究する。	
生態学的研究		複数の人口集団（例：各国、各都道府県、各市町村）	集団を対象とした疾病のデータと曝露のデータを収集して比較観察し、それらの関連を研究する。	低い

それぞれの研究の利点や欠点も併せて覚えましょう！

スクリーニング（検査）の結果と実際の疾病等の関係

<table>
<tr><td colspan="2" rowspan="2"></td><td colspan="2">実際の疾病等</td></tr>
<tr><td>あり</td><td>なし</td></tr>
<tr><td rowspan="2">検査結果</td><td>陽性</td><td>a
真陽性</td><td>b
偽陽性</td></tr>
<tr><td>陰性</td><td>c
偽陰性</td><td>d
真陰性</td></tr>
</table>

正しい判定
a：疾病等があるため、異常と判定
d：疾病等がないため、正常と判定

誤った判定
b：疾病等がないが、異常と判定
c：疾病等があるが、正常と判定

スクリーニングの有効性を表す指標

敏感度$=\frac{a}{a+c}$	疾病等がある者を検査で正しく陽性とする率
特異度$=\frac{d}{b+d}$	疾病等がない者を検査で正しく陰性とする率
陽性反応的中度$=\frac{a}{a+b}$	検査の陽性者のうち、実際に疾病等がある者の割合
陰性反応的中度$=\frac{d}{c+d}$	検査の陰性者のうち、実際に疾病等がない者の割合

※敏感度、特異度ともに、数値が大きいほど有効性が高い。

計算問題では、まず表に書いて整理してみましょう！

WORD 30

日本人の食事摂取基準

1 健康増進法において、食事摂取基準の策定は、厚生労働大臣が実施する。

2 日本人の食事摂取基準（2020 年版）の基本的事項として、フレイル予防が策定に考慮されている。

3 日本人の食事摂取基準（2020 年版）における成人の食塩相当量の目標量は、国民健康・栄養調査における摂取量の中央値とした。

4 日本人の食事摂取基準（2020 年版）において、集団内の半数の者で体内量が飽和している摂取量をもって EAR としたビタミンは、ビタミン A である。

5 日本人の食事摂取基準（2020 年版）において、集団内の半数の者に不足または欠乏の症状が現れうる摂取量を EAR の算定根拠とした栄養素は、ビタミン B_2である。

6 日本人の食事摂取基準（2020 年版）において AI は、症例報告を根拠に算定する。

7 日本人の食事摂取基準（2020 年版）では、摂取量が AI を下回っていても、当該栄養素が不足しているかを判断できない。

8 日本人の食事摂取基準（2020 年版）では、RDA は、個人での摂取不足の評価に用いる。

9 日本人の食事摂取基準（2020 年版）において RDA は、動物実験の結果を根拠に算定する。

10 日本人の食事摂取基準（2020 年版）では、UL には、サプリメント由来の栄養素を含まない。

11 日本人の食事摂取基準（2020 年版）において DG は、生活習慣病の発症予防を目的としている。

12 日本人の食事摂取基準（2020 年版）では、総脂質の DG の上限の設定には、飽和脂肪酸の DG が考慮されている。

13 日本人の食事摂取基準（2020 年版）では、ナトリウムは、高血圧及び CKD の重症化予防を目的とする食塩相当量の DG が 7g/日未満に設定されている。

○ 健康増進法において、食事摂取基準の策定は、厚生労働大臣が実施する。（公衆 35-141）

○ 日本人の食事摂取基準（2020年版）の基本的事項として、フレイル予防が策定に考慮されている。（応用 35-85）

☒ 日本人の食事摂取基準（2020年版）における成人の食塩相当量の目標量は、WHOが推奨している量と国民健康・栄養調査における摂取量の中央値との中間値とした。（応用 36-85）

☒ 日本人の食事摂取基準（2020年版）において、集団内の半数の者で体内量が飽和している摂取量をもってEARとしたビタミンは、ビタミンB_1である。（応用 36-84）

☒ 日本人の食事摂取基準（2020年版）において、集団内の半数の者に不足または欠乏の症状が現れうる摂取量をEARの算定根拠とした栄養素は、ナイアシンである。（応用 37-85）

☒ 日本人の食事摂取基準（2020年版）においてAIは、疫学研究を根拠に算定する。（応用 37-84）

○ 日本人の食事摂取基準（2020年版）では、摂取量がAIを下回っていても、当該栄養素が不足しているかを判断できない。（応用 35-84）

○ 日本人の食事摂取基準（2020年版）では、RDAは、個人での摂取不足の評価に用いる。（応用 35-84）

☒ 日本人の食事摂取基準（2020年版）においてRDAは、EARの結果を根拠に算定する。（応用 37-84）

☒ 日本人の食事摂取基準（2020年版）では、ULには、サプリメント由来の栄養素を含む。（応用 35-84）

○ 日本人の食事摂取基準（2020年版）においてDGは、生活習慣病の発症予防を目的としている。（応用 37-84）

○ 日本人の食事摂取基準（2020年版）では、総脂質のDGの上限の設定には、飽和脂肪酸のDGが考慮されている。（応用 35-86）

☒ 日本人の食事摂取基準（2020年版）では、ナトリウムは、高血圧及びCKDの重症化予防を目的とする食塩相当量のDGが6g/日未満に設定されている。（応用 38-87）

14 日本人の食事摂取基準（2020年版）では、カリウムは、高血圧の発症予防を目的とするDGが設定されている。

15 日本人の食事摂取基準（2020年版）では、カルシウムは、フレイル予防を目的とするDGが設定されている。

16 日本人の食事摂取基準（2020年版）では、小児（1～17歳）の脂質のDG（%エネルギー）は、成人（18歳以上）より高い。

17 日本人の食事摂取基準（2020年版）では、10～11歳の飽和脂肪酸のDGは、10%エネルギー以下である。

18 日本人の食事摂取基準（2020年版）における高齢者に関する記述において、目標とするBMIの範囲の下限値は、64歳以下の成人より高く設定されている。

19 日本人の食事摂取基準（2020年版）における高齢者に関する記述において、たんぱく質のDG下限値は、64歳以下の成人と同じ値に設定されている。

20 日本人の食事摂取基準（2020年版）における高齢者に関する記述において、ビタミンDのAIは、64歳以下の成人と同じ値に設定されている。

21 日本人の食事摂取基準（2020年版）に基づいたエネルギー摂取の過不足の評価では、集団のBMIの平均値が目標とする範囲外にあるかを確認する。

22 日本人の食事摂取基準（2020年版）に基づいた生活習慣病の発症予防を目的とした評価では、集団の摂取量の平均値がDGの範囲外にあるかを確認する。

23 日本人の食事摂取基準（2020年版）における集団の食事摂取状況の評価において、栄養素の摂取不足の評価では、摂取量がRDAを下回る者の割合を算出する。

24 日本人の食事摂取基準（2020年版）における集団の食事摂取状況の評価において、栄養素の過剰摂取の評価では、摂取量がULを上回る者の割合を算出する。

〇 日本人の食事摂取基準（2020年版）では、カリウムは、高血圧の発症予防を目的とするDGが設定されている。（応用 38-87）

✕ 日本人の食事摂取基準（2020年版）では、カルシウムは、フレイル予防を目的とするDGが設定されていない。（応用 38-87）

✕ 日本人の食事摂取基準（2020年版）では、小児（1〜17歳）の脂質のDG（%エネルギー）は、成人（18歳以上）と同じである。（応用 35-87）

〇 日本人の食事摂取基準（2020年版）では、10〜11歳の飽和脂肪酸のDGは、10%エネルギー以下である。（応用 35-91）

〇 日本人の食事摂取基準（2020年版）における高齢者に関する記述において、目標とするBMIの範囲の下限値は、64歳以下の成人より高く設定されている。（応用 38-86）

✕ 日本人の食事摂取基準（2020年版）における高齢者に関する記述において、たんぱく質のDG下限値は、64歳以下の成人より高く設定されている。（応用 38-86）

〇 日本人の食事摂取基準（2020年版）における高齢者に関する記述において、ビタミンDのAIは、64歳以下の成人と同じ値に設定されている。（応用 38-86）

✕ 日本人の食事摂取基準（2020年版）に基づいたエネルギー摂取の過不足の評価では、集団のBMIの平均値が目標とする範囲を上回っている、あるいは下回っている者の割合を確認する。（公衆 36-150）

✕ 日本人の食事摂取基準（2020年版）に基づいた生活習慣病の発症予防を目的とした評価では、DGの範囲を逸脱する者の割合を算出する。（公衆 36-150）

✕ 日本人の食事摂取基準（2020年版）における集団の食事摂取状況の評価において、栄養素の摂取不足の評価では、摂取量がEARを下回る者の割合を算出する。（公衆 36-150）

〇 日本人の食事摂取基準（2020年版）における集団の食事摂取状況の評価において、栄養素の過剰摂取の評価では、摂取量がULを上回る者の割合を算出する。（公衆 36-150）

WORD 30

出るトコ徹底分析！

エネルギーおよび栄養素の指標

設定指標

推定エネルギー必要量（EER）	エネルギー出納*が０（ゼロ）となる確率が最も高くなると推定される習慣的な１日あたりのエネルギー摂取量。 *エネルギー出納とは、成人の場合、 エネルギー摂取量－エネルギー消費量 のことをいう。
推定平均必要量（EAR）	ある母集団における平均必要量の推定値。ある母集団に属する50%の人が必要量を満たすと推定される１日の摂取量。
推奨量（RDA）	ある母集団のほとんど（97～98%）の人が充足していると推定される１日の摂取量。
目安量（AI）	推定平均必要量および推奨量を算定するのに十分な科学的根拠が得られない場合に、特定の集団の人々が、ある一定の栄養状態を維持するのに十分な量。
耐容上限量（UL）	ある母集団に属するほとんどすべての人々が、健康障害をもたらす危険がないとみなされる習慣的な摂取量の上限を与える量。
目標量（DG）	生活習慣病の一次予防を目的として、現在の日本人が当面の目標とすべき摂取量。

食事摂取基準の各指標を理解するための概念図

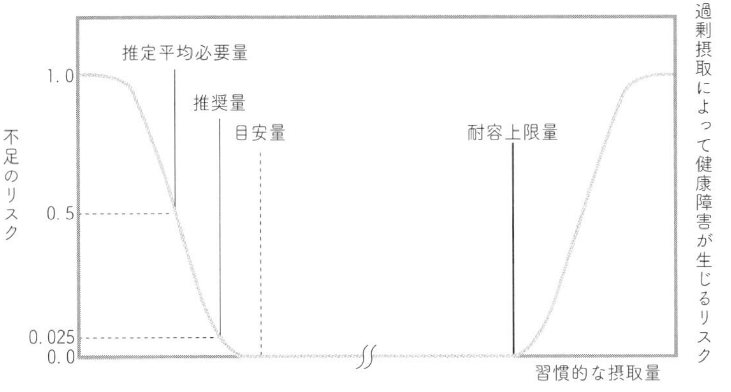

1．縦軸は、個人の場合は不足または過剰によって健康障害が生じる確率を、集団の場合は不足状態にある者または過剰によって健康障害を生じる者の割合を示す。
2．不足の確率が推定平均必要量では0.5（50％）あり、推奨量では0.02～0.03（中間値として0.025）（2～3％または2.5％）あることを示す。耐容上限量以上を摂取した場合には過剰摂取による健康障害が生じる潜在的なリスクが存在することを示す。そして、推奨量と耐容上限量との間の摂取量では、不足のリスク、過剰摂取による健康障害が生じるリスクともに0（ゼロ）に近いことを示す。
3．目安量については、推定平均必要量ならびに推奨量と一定の関係をもたない。しかし、推奨量と目安量を同時に算定することが可能であれば、目安量は推奨量よりも大きい（図では右方）と考えられるため、参考として付記した。
4．目標量は、ほかの概念と方法によって決められるため、ここには図示できない。

WORD 31

食中毒、食品による感染・有害物質

1 腸管出血性大腸菌は、100℃3分間の煮沸で殺菌できない。

2 腸管出血性大腸菌による食中毒の潜伏期間は、3～8時間程度である。

3 ノロウイルスによる食中毒は、数十から数百個のウイルス量で感染する。

4 ノロウイルスの不活化には、次亜塩素酸ナトリウムによる消毒が有効である。

5 ノロウイルスによる食中毒の潜伏期間は、4～7日程度である。

6 E型肝炎ウイルスは、野生のシカの肉を生食することで感染する。

7 ウェルシュ菌は、好気的条件で増殖しやすい。

8 ウェルシュ菌による食中毒の主症状は、血便である。

9 黄色ブドウ球菌は、ベロ毒素を産生する。

10 黄色ブドウ球菌は、7.5％食塩水中で増殖できる。

11 黄色ぶどう球菌による食中毒の潜伏期間は、2～7日間である。

12 カンピロバクター食中毒の潜伏期間は、1～5時間程度である。

13 カンピロバクター感染症は、ギラン・バレー症候群の原因となる。

14 カンピロバクターによる食中毒は、主に煮込み料理で発生する。

15 サルモネラ菌は、偏性嫌気性の細菌である。

16 サルモネラ食中毒の原因食品は、主に発酵食品である。

17 セレウス菌の嘔吐毒であるセレウリドは、耐熱性である。

☒ 腸管出血性大腸菌は、100℃ 3分間の煮沸で殺菌できる。（食べ物　35-53）

☒ 腸管出血性大腸菌による食中毒の潜伏期間は、4～8日程度である。（食べ物　38-51）

○ ノロウイルスによる食中毒は、数十から数百個のウイルス量で感染する。（食べ物　35-54）

○ ノロウイルスの不活化には、次亜塩素酸ナトリウムによる消毒が有効である。（食べ物　38-52）

☒ ノロウイルスによる食中毒の潜伏期間は、1～2日程度である。（食べ物　38-52）

○ E型肝炎ウイルスは、野生のシカの肉を生食することで感染する。（食べ物　36-53）

☒ ウェルシュ菌は、嫌気的条件で増殖しやすい。（食べ物　37-52）

☒ ウェルシュ菌による食中毒の主症状は、嘔吐、下痢や腹痛である。（食べ物　35-53）

☒ 黄色ブドウ球菌は、エンテロトキシンを産生する。（食べ物　38-51）

○ 黄色ブドウ球菌は、7.5%食塩水中で増殖できる。（食べ物　34-55）

☒ 黄色ぶどう球菌による食中毒の潜伏期間は、1～5時間である。（食べ物　35-53）

☒ カンピロバクター食中毒の潜伏期間は、2～7日程度である。（食べ物　37-52）

○ カンピロバクター感染症は、ギラン・バレー症候群の原因となる。（食べ物　35-53）

☒ カンピロバクターによる食中毒は、主に生または加熱不十分の鶏肉で発生する。（食べ物　38-51）

☒ サルモネラ菌は、通性嫌気性の細菌である。（食べ物　34-55）

☒ サルモネラ食中毒の原因食品は、主に鶏卵および鶏肉である。（食べ物　37-52）

○ セレウス菌の嘔吐毒であるセレウリドは、耐熱性である。（食べ物　37-52）

WORD 31

18 わが国におけるセレウス菌による食中毒は、主に下痢型である。

19 ボツリヌス菌は、偏性嫌気性菌である。

20 ボツリヌス菌の毒素は、100℃、30分の加熱で失活しない。

21 ボツリヌス菌の毒素は、末梢神経を麻痺させる。

22 ボツリヌス菌の潜伏期間は、一般に10日程度である。

23 乳児ボツリヌス症の原因食品は、主に粉乳である。

24 アニサキスによる食中毒の主な感染源は、生のかきである。

25 アニサキスによる食中毒は、幼虫移行症である。

26 アニサキスによる食中毒の最終宿主は、ヒトである。

27 フグによる食中毒の原因毒素は、パリトキシンである。

28 ムール貝による食中毒の原因毒素は、サキシトキシンである。

29 トリカブトによる食中毒の原因毒素は、リナマリンである。

30 スイセンによる食中毒の原因毒素は、ソラニンである。

31 肝吸虫は、ほたるいかの寄生虫であり、食中毒の原因となる。

32 リステリア症は、人畜共通感染症である。

33 有鉤条虫は、主にサケ・マスの生食から感染する。

34 無鉤条虫は、豚肉の寄生虫であり、食中毒の原因となる。

35 サルコシスティス・フェアリーは、馬肉の寄生虫であり、食中毒の原因となる。

☒ わが国におけるセレウス菌による食中毒は、主に嘔吐型である。（食べ物 38-51）

○ ボツリヌス菌は、偏性嫌気性菌である。（食べ物 38-51）

☒ ボツリヌス菌の毒素は、100℃、30分の加熱で失活する。（食べ物 34-55）

○ ボツリヌス菌の毒素は、末梢神経を麻痺させる。（食べ物 36-52）

☒ ボツリヌス菌の潜伏期間は、一般に12〜36時間程度である。（食べ物 36-52）

☒ 乳児ボツリヌス症の原因食品は、主にハチミツである。（食べ物 37-52）

☒ アニサキスによる食中毒の主な感染源は、生のサバ、アジ、タラ、サケ、イカなどの海産魚介類である。（食べ物 36-54）

○ アニサキスによる食中毒は、幼虫移行症である。（食べ物 36-54）

☒ アニサキスによる食中毒の最終宿主は、イルカなどの海産哺乳類である。（食べ物 36-54）

☒ フグによる食中毒の原因毒素は、テトロドトキシンである。（食べ物 37-53）

○ ムール貝による食中毒の原因毒素は、サキシトキシンである。（食べ物 37-53）

☒ トリカブトによる食中毒の原因毒素は、アコニチンである。（食べ物 37-53）

☒ スイセンによる食中毒の原因毒素は、リコリンである。（食べ物 37-53）

☒ 肝吸虫は、鯉やフナの寄生虫であり、食中毒の原因となる。（食べ物 38-53）

○ リステリア症は、人畜共通感染症である。（食べ物 37-54）

☒ 有鉤条虫は、主に豚肉から感染する。（食べ物 37-54）

☒ 無鉤条虫は、牛肉の寄生虫であり、食中毒の原因となる。（食べ物 38-53）

○ サルコシスティス・フェアリーは、馬肉の寄生虫であり、食中毒の原因となる。（食べ物 38-53）

36 サルコシスティスは、－20℃48時間以上の凍結で死滅する。

37 わが国における食品中の放射性物質の基準値は、プルトニウムが対象である。

38 ヨウ素131の物理学的半減期は、約8日である。

39 ストロンチウム90は、筋肉に集積しやすい。

40 シアン化合物は、生あんから検出されてはならない。

41 パツリンは、りんご果汁から検出されてはならない。

42 カドミウムは、米から検出されてはならない。

43 ベンゾ［a］ピレンは、ヘテロサイクリックアミンの1つである。

44 アクリルアミドは、アスパラギンと還元糖の反応によって生成する。

45 N-ニトロソアミンは、アミノ酸とクレアチンの反応によって生成する。

出るトコ徹底分析！

放射性物質の種類と特徴

放射性物質の種類と特徴

名称	半減期	放出される放射線	影響しやすい身体の部位
ヨウ素131	8日	β線、γ線	甲状腺
コバルト60	5.3年	β線、γ線	肝臓、卵巣
セシウム134	2.1年	β線、γ線	筋肉、卵巣
セシウム137	30年	β線、γ線	筋肉、卵巣
ストロンチウム90	28.7年	β線	骨

- ○ サルコシスティスは、－20℃ 48時間以上の凍結で死滅する。（食べ物 37-54）
- × わが国における食品中の放射性物質の基準値は、セシウムが対象である。（食べ物 37-55）
- ○ ヨウ素131の物理学的半減期は、約8日である。（食べ物 37-55）
- × ストロンチウム90は、骨髄に集積しやすい。（食べ物 37-55）
- ○ シアン化合物は、生あんから検出されてはならない。（食べ物 36-55）
- × パツリンは、りんご果汁から50 μg/kgを超えて検出されてはならない。（食べ物 36-55）
- × カドミウムは、米から0.4mg/kgを超えて検出されてはならない。（食べ物 36-55）
- × ベンゾ〔a〕ピレンは、多環芳香族炭化水素の1つである。（食べ物 38-54）
- ○ アクリルアミドは、アスパラギンと還元糖の反応によって生成する。（食べ物 38-54）
- × N-ニトロソアミンは、第2級アミンと亜硝酸の反応によって生成する。（食べ物 38-54）

放射性物質の特徴について
しっかり理解しておこう！！

WORD 31

出るトコ徹底分析！

食中毒の原因となる菌と物質

主な細菌性食中毒

感染型		
細菌名	特徴と性質	主な原因食品
サルモネラ属菌	熱に弱い→60℃、30分間の加熱で死滅 低温下の増殖不可→10℃以下で保存 通性嫌気性菌	食肉 卵・卵加工品
腸炎ビブリオ	好塩性（塩分濃度３％で発育良好） 通性嫌気性菌、淡水、酸・熱に弱い	海産魚介類
病原大腸菌	通性嫌気性菌	特定の原因食はない
カンピロバクター	中温微生物→25～45℃で発育良好 微好気性菌、乾燥、酸に弱い 潜伏期間：２～７日	食肉（特に鶏肉） 水
エルシニア・エンテロコリチカ	通性嫌気性菌	食肉

毒素型		
細菌名	特徴と性質	主な原因食品
黄色ブドウ球菌	エンテロトキシン（産生毒素）は耐熱性 毒素は、100℃、３分間の加熱で不活性化されない 潜伏期間は３時間程度 通性嫌気性菌	弁当・おにぎりなど直接ヒトの手が触れたもの
ボツリヌス菌	芽胞形成偏性嫌気性菌 芽胞は熱に強く、毒素は熱に弱い（毒素は、80℃、30分間以上の加熱で失活する）	いずし 缶詰・びん詰
セレウス菌	芽胞形成桿菌 芽胞は、100℃、30分間の加熱で失活しない 下痢型と嘔吐型がある 通性嫌気性菌	下痢型：肉類・スープ類 嘔吐型：焼き飯・米飯・スパゲティ
腸管出血性大腸菌（O157など）	ベロ毒素を産生 熱に弱い（75℃、１分間で殺菌）	特定の原因食はない

菌の特徴や性質をしっかり覚えておこう！！

中間型		
細菌名	特徴と性質	主な原因食品
ウェルシュ菌	ヒトや動物の腸内などに分布する 芽胞形成偏性嫌気性菌 毒素：エンテロトキシン	獣肉、魚介類および その加工品、植物性 たんぱく質食品

ウイルス性食中毒

病因物質	特徴と性質	主な原因食品・感染源・その他
ノロウイルス（小型球形ウイルス・SRSV）	熱に弱く、加熱（85～90℃、90秒間）により防げる 冷凍では死滅しない 酸に強い	・生カキ、生シジミ、ハマグリ、ヒト（感染者）の排泄物、水、非加熱食品 ・ヒトの腸管で増殖する

自然毒食中毒

原因物質	きのこの種類
きのこ中毒	ツキヨタケ、イッポンシメジ、テングタケ、ワライタケ

原因物質	有害成分
梅、桃などの未熟果実	アミグダリン
じゃがいもの芽	ソラニン
ふぐ毒	テトロドトキシン
貝毒	サキシトキシン（麻痺性）、オカダ酸（下痢性）

RANK B ほぼ毎年出題！

WORD **32**

特別用途食品・保健機能食品

1 特別用途表示の許可は、健康増進法で定められている事項である。

2 特別用途食品としての表示には、国の許可は不要である。

3 特定保健用食品以外の特別用途食品には、許可証票（マーク）は定められていない。

4 特別用途食品（とろみ調整用食品）は、特別用途食品の類型である病者用食品の１つである。

5 栄養機能食品は、特別用途食品の１つである。

6 栄養機能食品について、カリウムは「正常な血圧を保つのに必要な栄養素です」の表示が認められている。

7 栄養機能食品について、鉄は「赤血球を作るのに必要な栄養素です」の表示が認められている。

8 栄養機能食品について、ビタミンB_1は「炭水化物からのエネルギー産生と皮膚や粘膜の健康維持を助ける栄養素です」の表示が認められている。

9 栄養機能食品について、ビタミンKは「正常な血液凝固能を維持する栄養素です」の表示が認められている。

10 機能性表示食品は、安全性や機能性の根拠に関する情報を厚生労働省に届け出る必要がある。

11 機能性表示食品の対象には、生鮮食品が含まれる。

12 機能性表示食品では、申請者は最終製品に関する研究レビュー（システマティックレビュー）で機能性の評価を行うことができる。

13 機能性表示食品には、妊産婦を対象に開発された食品がある。

14 機能性表示食品は、安全性や機能性の根拠に関する情報を消費者庁のウェブサイトで確認することができる。

15 機能性表示食品には、「食生活は、主食、主菜、副菜を基本に、食事のバランスを。」と表示しなくてはならない。

○	特別用途表示の許可は、健康増進法で定められている事項である。（公衆 34-142）
×	特別用途食品としての表示には、消費者庁長官の許可が必要である。（食べ物 36-58）
×	特定保健用食品以外の特別用途食品には、許可証票（マーク）が定められている。（食べ物 37-59）
×	特別用途食品（とろみ調整用食品）は、特別用途食品の類型であるえん下困難者用食品の1つである。（食べ物 38-58）
×	栄養機能食品は、保健機能食品の1つである。（食べ物 38-58）
○	栄養機能食品について、カリウムは「正常な血圧を保つのに必要な栄養素です」の表示が認められている。（食べ物 37-58）
○	栄養機能食品について、鉄は「赤血球を作るのに必要な栄養素です」の表示が認められている。（食べ物 37-58）
○	栄養機能食品について、ビタミンB_1は「炭水化物からのエネルギー産生と皮膚や粘膜の健康維持を助ける栄養素です」の表示が認められている。（食べ物 37-58）
○	栄養機能食品について、ビタミンKは「正常な血液凝固能を維持する栄養素です」の表示が認められている。（食べ物 37-58）
×	機能性表示食品は、安全性や機能性の根拠に関する情報を消費者庁長官に届け出る必要がある。（食べ物 38-58）
○	機能性表示食品の対象には、生鮮食品が含まれる。（食べ物 38-58）
○	機能性表示食品では、申請者は最終製品に関する研究レビュー（システマティックレビュー）で機能性の評価を行うことができる。（食べ物 35-59）
×	機能性表示食品には、妊産婦を対象に開発された食品はない。（食べ物 37-59）
○	機能性表示食品は、安全性や機能性の根拠に関する情報を消費者庁のウェブサイトで確認することができる。（食べ物 37-59）
○	機能性表示食品には、「食生活は、主食、主菜、副菜を基本に、食事のバランスを。」と表示しなくてはならない。（食べ物 36-58）

WORD **32**

16 特定保健用食品（規格基準型）では、申請者が関与成分の疾病リスク低減効果を医学的・栄養学的に示さなければならない。

17 特定保健用食品（条件付き）は、規格基準を満たすことを条件として個別審査を経ることなく許可される。

18 サーデンペプチドは、「血圧が高めの方に適した食品」と表示される特定保健用食品の関与成分である。

19 γ-アミノ酪酸（GABA）は、「血圧が高めの方に適した食品」と表示される特定保健用食品の関与成分である。

20 茶カテキンは、「体脂肪が気になる方に適した食品」と表示される特定保健用食品の関与成分である。

21 リン酸化オリゴ糖カルシウムは、「歯の健康維持に役立つ食品」と表示される特定保健用食品の関与成分である。

22 キトサンは、「コレステロールが高めの方に適した食品」と表示される特定保健用食品の関与成分である。

☒ 特定保健用食品（疾病リスク低減表示）では、申請者が関与成分の疾病リスク低減効果を医学的・栄養学的に示さなければならない。（食べ物 35-59）

☒ 特定保健用食品（規格基準型）は、規格基準を満たすことを条件として個別審査を経ることなく許可される。（食べ物 37-59）

◯ サーデンペプチドは、「血圧が高めの方に適した食品」と表示される特定保健用食品の関与成分である。（食べ物 35-60）

◯ γ-アミノ酪酸（GABA）は、「血圧が高めの方に適した食品」と表示される特定保健用食品の関与成分である。（食べ物 36-59）

◯ 茶カテキンは、「体脂肪が気になる方に適した食品」と表示される特定保健用食品の関与成分である。（食べ物 35-60）

◯ リン酸化オリゴ糖カルシウムは、「歯の健康維持に役立つ食品」と表示される特定保健用食品の関与成分である。（食べ物 35-60）

◯ キトサンは、「コレステロールが高めの方に適した食品」と表示される特定保健用食品の関与成分である。（食べ物 36-59）

WORD 32

出るトコ徹底分析！

機能性食品の法的位置づけ

機能性食品の法的位置づけ

<table>
<tr><td>医薬品医療機器等法</td><td colspan="13">健康増進法／食品</td></tr>
<tr><td rowspan="7">医薬品（医薬部外品を含む）</td><td colspan="13"></td></tr>
<tr><td colspan="13">特別用途食品</td></tr>
<tr><td colspan="8">病者用食品</td><td rowspan="3">妊産婦、授乳婦用粉乳</td><td colspan="2">乳児用調製乳</td><td colspan="2">えん下困難者用食品</td></tr>
<tr><td colspan="7">許可基準型</td><td rowspan="2">個別評価型</td><td rowspan="2">乳児用調製粉乳</td><td rowspan="2">乳児用調製液状乳</td><td rowspan="2">えん下困難者用食品</td><td rowspan="2">とろみ調整用食品</td></tr>
<tr><td>低たんぱく質食品</td><td>アレルゲン除去食品</td><td>無乳糖食品</td><td>総合栄養食品</td><td>糖尿病用組合せ食品</td><td>腎臓病用組合せ食品</td><td>経口補水液※1</td></tr>
<tr><td colspan="13">国の許可が必要</td></tr>
<tr><td colspan="13">特別の用途が表示できる</td></tr>
</table>

※1　2023（令和5）年5月より追加。
※2　関与成分の疾病リスク低減効果が医学的・栄養学的に確立されている食品。
※3　科学的根拠が蓄積されている関与成分について規格基準を定め、消費者委員会の
※4　現行の許可条件には満たないが、一定の有効性が確認される食品を、限定的な科

衛生法／食品表示法				食品衛生法／食品表示法	
食品					
		保健機能食品		一般食品	
特定保健用食品		機能性表示食品	栄養機能食品	いわゆる健康食品	その他の一般食品
個別許可型（疾病リスク低減表示※2、規格基準型※3を含む）	条件付き特定保健用食品※4				
消費者庁許可 特定保健用食品	消費者庁許可 条件付き 特定保健用食品	事前届出制（企業責任）	規格基準型		
国の許可が必要					
保健の機能を表示できる		食品の機能性を表示できる	栄養成分の機能を表示できる	効果や機能が表示できない	

個別審査なく、事務局で規格基準に適合するか審査、許可する食品。
学的根拠である旨の表示をすることを条件として、許可した食品。

それぞれ関連法規や区分、
特徴を覚えましょう！

WORD **33** 公衆栄養マネジメント

1 プリシード・プロシードモデルの最終目標は、栄養状態の改善である。

2 公衆栄養マネジメントにおいて、公衆栄養活動は、PDCA サイクルに従って進める。

3 公衆栄養マネジメントにおいて、アセスメントでは、既存資料の有効活用を図る。

4 目的設定型アプローチでは、目指す姿を住民参加によって検討する。

5 高齢者の介護予防を目的とした公衆栄養プログラムの評価として、「プログラムの参加人数が増加しているか」は、経過評価である。

6 高齢者の介護予防を目的とした公衆栄養プログラムの評価として、「目標設定が適切だったか」は、経過評価である。

7 高齢者の介護予防を目的とした公衆栄養プログラムの評価として、「企画の通りに進行しているか」は、企画評価である。

8 高齢者の介護予防を目的とした公衆栄養プログラムの評価として、「共食の頻度が増加したか」は、結果評価である。

9 高齢者の介護予防を目的とした公衆栄養プログラムの評価として、「フレイルの者の割合が減少したか」は、影響評価である。

出題科目 ▶ 公衆

☒	プリシード・プロシードモデルの最終目標は、QOL（生活の質）の改善である。（公衆　36-149）
◯	公衆栄養マネジメントにおいて、公衆栄養活動は、PDCAサイクルに従って進める。（公衆　34-149）
◯	公衆栄養マネジメントにおいて、アセスメントでは、既存資料の有効活用を図る。（公衆　34-149）
◯	目的設定型アプローチでは、目指す姿を住民参加によって検討する。（公衆　36-149）
◯	高齢者の介護予防を目的とした公衆栄養プログラムの評価として、「プログラムの参加人数が増加しているか」は、経過評価である。（公衆　34-151）
☒	高齢者の介護予防を目的とした公衆栄養プログラムの評価として、「目標設定が適切だったか」は、企画評価である。（公衆　34-151）
☒	高齢者の介護予防を目的とした公衆栄養プログラムの評価として、「企画の通りに進行しているか」は、経過評価である。（公衆　34-151）
☒	高齢者の介護予防を目的とした公衆栄養プログラムの評価として、「共食の頻度が増加したか」は、影響評価である。（公衆　34-151）
☒	高齢者の介護予防を目的とした公衆栄養プログラムの評価として、「フレイルの者の割合が減少したか」は、結果評価である。（公衆　34-151）

WORD 34

妊娠期・授乳期

1	妊娠期においてキンメダイやメカジキは、積極的な摂取が推奨されている。
2	ビタミンAの付加量は、妊娠初期の方が妊娠後期より多い。
3	尿たんぱく質の検査は、妊娠初期から行う。
4	非妊娠時のBMIが18.5kg/m^{2}未満の場合、妊娠中の体重増加量は7～10kgが推奨されている。
5	妊娠期に、基礎代謝量は低下する。
6	妊娠期に、インスリン感受性は増大する。
7	妊娠期に、血中ヘモグロビン値は低下する。
8	妊娠期に、血清アルブミン値は低下する。
9	妊娠期に、血清トリグリセリド値は低下する。
10	血漿フィブリノーゲン値は、妊娠期には低下する。
11	糸球体濾過量は、妊娠期には減少する。
12	妊娠糖尿病は分娩後の2型糖尿病のリスクになる。
13	妊娠悪阻は、ウェルニッケ脳症の原因になる。
14	尿中カルシウム排泄量は、授乳期には減少する。
15	授乳期の血中プロゲステロン濃度は、妊娠期に比べ上昇する。
16	授乳期の吸啜刺激は、オキシトシン分泌を促進する。
17	ラクトフェリンは、成乳（成熟乳）に比べ初乳に多く含まれる。
18	リゾチームは、成乳（成熟乳）に比べ初乳に多く含まれる。
19	ラクトースは、成乳（成熟乳）に比べ初乳に多く含まれる。
20	初乳は、成熟乳より分泌型IgAを多く含む。
21	人乳は、牛乳より飽和脂肪酸含量が多い。

出題科目 ▶ 人体 応用

- ☒ 妊娠期においてキンメダイやメカジキは、積極的な摂取は推奨されていない。（応用　38-88）
- ☒ ビタミンAの付加量は、妊娠後期に設定されている。（応用　38-88）
- ○ 尿たんぱく質の検査は、妊娠初期から行う。（応用　38-88）
- ☒ 非妊娠時のBMIが18.5kg/m^{2}未満の場合、妊娠中の体重増加量は12〜15kgが推奨されている。（応用　38-88）
- ☒ 妊娠期に、基礎代謝量は増加する。（応用　36-87）
- ☒ 妊娠期に、インスリン感受性は低下する。（応用　36-87）
- ○ 妊娠期に、血中ヘモグロビン値は低下する。（応用　36-87）
- ○ 妊娠期に、血清アルブミン値は低下する。（応用　34-88）
- ☒ 妊娠期に、血清トリグリセリド値は上昇する。（応用　34-88）
- ☒ 血漿フィブリノーゲン値は、妊娠期には上昇する。（応用　35-89）
- ☒ 糸球体濾過量は、妊娠期には増加する。（応用　35-89）
- ○ 妊娠糖尿病は分娩後の2型糖尿病のリスクになる。（人体　36-37）
- ○ 妊娠悪阻は、ウェルニッケ脳症の原因になる。（応用　34-89）
- ○ 尿中カルシウム排泄量は、授乳期には減少する。（応用　35-89）
- ☒ 授乳期の血中プロゲステロン濃度は、妊娠期に比べ低下する。（応用　36-88）
- ○ 授乳期の吸啜刺激は、オキシトシン分泌を促進する。（応用　36-88）
- ○ ラクトフェリンは、成乳（成熟乳）に比べ初乳に多く含まれる。（応用　37-87）
- ○ リゾチームは、成乳（成熟乳）に比べ初乳に多く含まれる。（応用　37-87）
- ☒ ラクトースは、初乳に比べ成乳（成熟乳）に多く含まれる。（応用　37-87）
- ○ 初乳は、成熟乳より分泌型IgAを多く含む。（応用　36-89）
- ☒ 人乳は、牛乳より不飽和脂肪酸含量が多い。（応用　36-89）

WORD 35

新生児期・乳児期

1 出生による胎児循環から新生児循環への変化では、卵円孔は閉鎖する。

2 出生による胎児循環から新生児循環への変化では、肺胞は縮小する。

3 出生による胎児循環から新生児循環への変化では、動脈管は拡張する。

4 体重に対する細胞外液量の割合は、新生児が成人より高い。

5 生理的黄疸は、生後1か月頃に出現する。

6 母乳栄養児は、人工栄養児よりビタミンKの欠乏になりにくい。

7 新生児の生理的体重減少では、細胞内液の減少が著しい。

8 新生児の外呼吸は、胸式呼吸が中心である。

9 新生児は寒冷環境下では、褐色脂肪細胞による熱産生が起こる。

10 新生児の排尿回数は、成人に比べて少ない。

11 新生児の探索反射は、口に入ってきた物を吸う動きである。

12 糸球体濾過量は、生後6か月頃に成人と同程度となる。

13 生後7～8か月頃（離乳中期）には、舌でつぶせる固さの食事を与える。

14 「授乳・離乳の支援ガイド」に基づいた離乳後期の離乳食の食べさせ方では、全卵は食べさせて良い。

15 「授乳・離乳の支援ガイド」に基づいた離乳後期の離乳食の食べさせ方では、はちみつは食べさせて良い。

16 先天性代謝異常等検査による有所見者発見数が最も多い疾患は、フェニルケトン尿症である。

出題科目 ▶ 社会 応用

○ 出生による胎児循環から新生児循環への変化では、卵円孔は閉鎖する。（応用 37-89）

× 出生による胎児循環から新生児循環への変化では、肺胞は拡大する。（応用 37-89）

× 出生による胎児循環から新生児循環への変化では、動脈管は閉鎖する。（応用 37-89）

○ 体重に対する細胞外液量の割合は、新生児が成人より高い。（応用 36-86）

× 生理的黄疸は、生後2～3日頃に出現する。（応用 34-90）

× 母乳栄養児は、人工栄養児よりビタミンKの欠乏になりやすい。（応用 35-90）

× 新生児の生理的体重減少では、細胞外液の減少が著しい。（応用 38-89）

× 新生児の外呼吸は、腹式呼吸が中心である。（応用 38-89）

○ 新生児は寒冷環境下では、褐色脂肪細胞による熱産生が起こる。（応用 38-89）

× 新生児の排尿回数は、成人に比べて多い。（応用 38-89）

× 新生児の吸啜反射は、口に入ってきた物を吸う動きである。（応用 38-89）

× 糸球体濾過量は、2歳頃に成人と同程度となる。（応用 34-90）

○ 生後7～8か月頃（離乳中期）には、舌でつぶせる固さの食事を与える。（応用 34-91）

○ 「授乳・離乳の支援ガイド」に基づいた離乳後期の離乳食の食べさせ方では、全卵は食べさせて良い。（応用 38-90）

× 「授乳・離乳の支援ガイド」に基づいた離乳後期の離乳食の食べさせ方では、はちみつは1歳を過ぎるまでは与えない。（応用 38-90）

× 先天性代謝異常等検査による有所見者発見数が最も多い疾患は、先天性甲状腺機能低下症（クレチン症）である。（社会 34-16）

WORD **36**

幼児期・学童期・思春期

1	幼児身体発育曲線で、3歳児の身長を評価する場合は、仰臥位で測定した値を用いる。
2	幼児期の肥満は、二次性肥満が多い。
3	基礎代謝基準値（kcal/kg体重/日）は、思春期が幼児期より高い。
4	5歳児の身長の成長速度は、乳児期と同程度である。
5	5歳児の唾液の分泌量は、成人期と同程度である。
6	5歳児の体重1kg当たりの水分必要量は、成人期と同程度である。
7	5歳児の胃の容量は、成人期と同程度である。
8	脳重量は、6歳頃に成人の90%以上になる。
9	胸腺重量は、思春期以後に増大する。
10	5歳児の最大尿濃縮能は、成人期と同程度である。
11	学童期のたんぱく質の目標量は、25～30%Eである。
12	カルシウムの1日当たりの体内蓄積量は、男女ともに12～14歳で最も多い。
13	永久歯が生えそろうのは、7～9歳である。
14	学童期では、肥満度－20%以下を痩身傾向児と判定する。
15	学童期に、内臓脂肪の蓄積は見られない。
16	最近10年間の学校保健統計調査では、小学生の肥満傾向児の出現率は2%未満である。
17	最近10年間の学校保健統計調査によると、児童・生徒のむし歯（う歯）のある者の割合は増加している。
18	幼児期・学童期におけるカウプ指数による肥満判定基準は、男女で異なる。
19	小児メタボリックシンドロームの診断基準では、腹囲の基準が男女で異なる。

出題科目 ▶ 社会 応用

☒ 幼児身体発育曲線で、3歳児の身長を評価する場合は、立位で測定した値を用いる。（応用　36-91）

☒ 幼児期の肥満は、原発性（単純性）肥満が多い。（応用　37-90）

☒ 基礎代謝基準値（kcal/kg体重/日）は、思春期が幼児期より低い。（応用　36-91）

☒ 5歳児の身長の成長速度は、乳児期より遅い。（応用　38-91）

☒ 5歳児の唾液の分泌量は、成人期より少ない。（応用　38-91）

☒ 5歳児の体重1kg当たりの水分必要量は、成人期より多い。（応用　38-91）

☒ 5歳児の胃の容量は、成人期より小さい。（応用　38-91）

○ 脳重量は、6歳頃に成人の90%以上になる。（応用　37-86）

☒ 胸腺重量は、思春期以後に減少する。（応用　37-86）

○ 5歳児の最大尿濃縮能は、成人期と同程度である。（応用　38-91）

☒ 学童期のたんぱく質の目標量は、13～20%Eである。（応用　34-92）

○ カルシウムの1日当たりの体内蓄積量は、男女ともに12～14歳で最も多い。（応用　36-91）

☒ 永久歯が生えそろうのは、12～14歳である。（応用　36-91）

○ 学童期では、肥満度－20%以下を痩身傾向児と判定する。（応用　37-90）

☒ 学童期に、内臓脂肪の蓄積は見られる。（応用　37-90）

☒ 最近10年間の学校保健統計調査では、小学生の肥満傾向児の出現率は約5～10%である。（応用　35-91）

☒ 最近10年間の学校保健統計調査によると、児童・生徒のむし歯（う歯）のある者の割合は減少している。（社会　38-9）

☒ 幼児期・学童期におけるカウプ指数による肥満判定基準は、男女で同じである。（応用　35-91）

☒ 小児メタボリックシンドロームの診断基準では、腹囲の基準が男女で同じである。（応用　37-90）

WORD 37

更年期・高齢期

1 更年期の女性のインスリン感受性は、上昇する。

2 更年期において、プロゲステロンの分泌量は減少する。

3 更年期において、性腺刺激ホルモン放出ホルモンの分泌量は減少する。

4 更年期の女性の黄体形成ホルモン（LH）分泌量は減少する。

5 更年期において、卵胞刺激ホルモン（FSH）の分泌量は減少する。

6 更年期の女性の一酸化窒素合成は亢進する。

7 更年期の女性の骨形成は骨吸収を上回る。

8 更年期の女性の血中 LDL コレステロール値は、低下する。

9 更年期の女性の血中 HDL コレステロール値は、低下する。

10 高齢期に、細胞内液量に対する細胞外液量の比は高くなる。

11 高齢期の血中アルブミン濃度は、上昇する。

12 高齢期の血中副甲状腺ホルモン（PTH）濃度は、上昇する。

13 高齢期の血中ホモシステイン濃度は、低下する。

14 高齢期のエリスロポエチンの分泌量は、増加する。

15 高齢期の獲得免疫系機能は、亢進する。

16 体重に対する細胞内液量の割合は、高齢者が成人より高い。

17 成人期と比較し高齢期では、腎血流量は増加する。

18 成人期と比較し高齢期では、除脂肪量は増加する。

19 成人期と比較し高齢期では、筋たんぱく質の同化作用は減弱する。

20 成人期と比較し高齢期では、肺残気率が増加する。

21 成人期と比較し高齢期では、肺活量は増加する。

22 成人期と比較し高齢期では、唾液分泌量は増加する。

23 成人期と比較し高齢期では、インスリン抵抗性は減弱する。

出題科目 ▶ 応用 臨床

☒ 更年期の女性のインスリン感受性は、低下する。（応用　38-93）

◯ 更年期において、プロゲステロンの分泌量は減少する。（応用　37-91）

☒ 更年期において、性腺刺激ホルモン放出ホルモンの分泌量は増加する。（応用　37-91）

☒ 更年期の女性の黄体形成ホルモン（LH）分泌量は増加する。（応用　36-92）

☒ 更年期において、卵胞刺激ホルモン（FSH）の分泌量は増加する。（応用　37-91）

☒ 更年期の女性の一酸化窒素合成は減少する。（応用　36-92）

☒ 更年期の女性の骨形成は骨吸収を下回る。（応用　36-92）

☒ 更年期の女性の血中LDLコレステロール値は、上昇する。（応用　38-93）

◯ 更年期の女性の血中HDLコレステロール値は、低下する。（応用　38-93）

◯ 高齢期に、細胞内液量に対する細胞外液量の比は高くなる。（応用　34-94）

☒ 高齢期の血中アルブミン濃度は、低下する。（応用　38-94）

◯ 高齢期の血中副甲状腺ホルモン（PTH）濃度は、上昇する。（応用　38-94）

☒ 高齢期の血中ホモシステイン濃度は、上昇する。（応用　38-94）

☒ 高齢期のエリスロポエチンの分泌量は、減少する。（応用　38-94）

☒ 高齢期の獲得免疫系機能は、低下する。（応用　38-94）

☒ 体重に対する細胞内液量の割合は、高齢者が成人より低い。（応用　36-86）

☒ 成人期と比較し高齢期では、腎血流量は減少する。（応用　35-94）

☒ 成人期と比較し高齢期では、除脂肪量は減少する。（応用　37-93）

◯ 成人期と比較し高齢期では、筋たんぱく質の同化作用は減弱する。（応用　37-93）

◯ 成人期と比較し高齢期では、肺残気率が増加する。（応用　35-93）

☒ 成人期と比較し高齢期では、肺活量は減少する。（応用　37-93）

☒ 成人期と比較し高齢期では、唾液分泌量は減少する。（応用　37-93）

☒ 成人期と比較し高齢期では、インスリン抵抗性は増大する。（応用　37-93）

WORD **37**

24 口渇感は、高齢者が成人より鋭敏である。

25 褥瘡の予防および栄養管理において、発生リスクは、ブレーデンスケールで評価する。

26 褥瘡の評価法には、FIM がある。

27 褥瘡の予防および栄養管理において、エネルギー摂取量は、20kcal/kg体重/日とする。

28 褥瘡の予防および栄養管理において、たんぱく質摂取量は、2.5g/kg 体重/日とする。

29 嚥下機能障害の評価法には、BI（Barthel Index）がある。

出るトコ徹底分析！

エストロゲンの分泌低下、高齢期の身体的変化（摂食関連）

エストロゲンの分泌低下

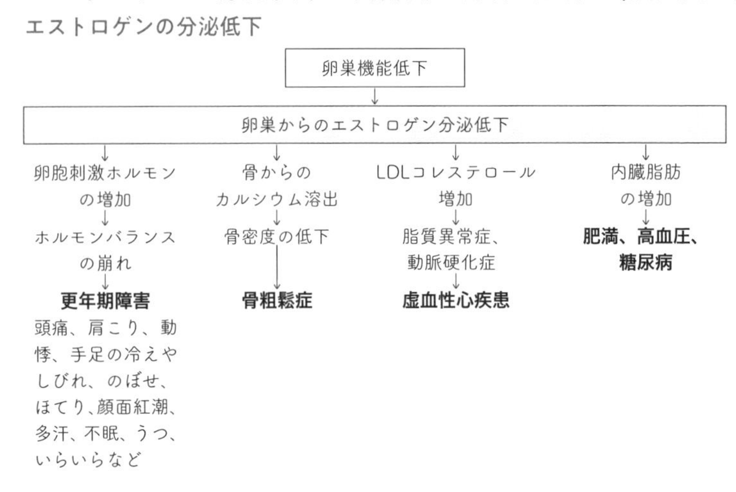

☒ 口渇感は、高齢者が成人より鈍感である。（応用　36-86）

○ 褥瘡の予防および栄養管理において、発生リスクは、ブレーデンスケールで評価する。（臨床　38-135）

☒ 褥瘡の評価法には、DESIGN-R®がある。（応用　37-94）

☒ 褥瘡の予防および栄養管理において、エネルギー摂取量は、30～35kcal/kg体重/日とする。（臨床　38-135）

☒ 褥瘡の予防および栄養管理において、たんぱく質摂取量は、1.25～1.5g/kg体重/日とする。（臨床　38-135）

☒ 嚥下機能障害の評価法には、RSST（Repetitive Saliva Swallowing Test）がある。（応用　37-94）

高齢期の身体的変化（摂食関連）

- 食欲の低下
- 唾液の分泌低下
- 口渇感の衰え
- 消化液（胃液、膵液）の分泌低下
- 腸の運動能力の低下
- 味覚の衰え
- 咀嚼能力の低下
- 嚥下能力の低下
- 筋力の低下
- 塩味の味覚閾値の上昇

WORD **38** 栄養補給法

1 末梢静脈栄養法では、アミノ酸濃度 20%の溶液を投与できる。

2 末梢静脈栄養法では、脂肪乳剤は 1g/kg 標準体重/時で投与できる。

3 末梢静脈栄養法では、ブドウ糖濃度 30%の溶液を投与できる。

4 末梢静脈栄養法では、浸透圧 300 mOsm/L の溶液を投与できる。

5 末梢静脈栄養では、浸透圧比（血漿浸透圧との比）を 3 以下とする。

6 成分栄養剤は、半消化態栄養剤より浸透圧が低い。

7 半固形栄養剤は、胃瘻に使用できない。

8 肝不全用経腸栄養剤は、芳香族アミノ酸が強化されている。

9 消化管機能が保たれている重症外傷患者に対して受傷後 2 日目から経腸栄養法を開始する場合、投与ルートは経鼻胃管とする。

10 消化管機能が保たれている重症外傷患者に対して受傷後 2 日目から経腸栄養法を開始する場合、経腸栄養剤は半消化態栄養剤とする。

11 消化管機能が保たれている重症外傷患者に対して受傷後 2 日目から経腸栄養法を開始する場合、投与目標量は 25～30kcal/kg 標準体重/日とする。

12 免疫賦活を目的とした経腸栄養剤は、n-6 系脂肪酸が強化されている。

13 腎不全患者への静脈栄養法では、NPC/N 比を 100 以下にして投与する。

14 中心静脈栄養法において、50%ブドウ糖基本輸液 700ml（1,400kcal）、総合アミノ酸輸液製剤 400ml（100kcal、窒素量 4g）、20%脂肪乳剤 100ml（200kcal）を投与した場合の NPC/N 比は 400 である。

☒	末梢静脈栄養法では、アミノ酸濃度3%程度の溶液を投与できる。（臨床 34-114）
☒	末梢静脈栄養法では、脂肪乳剤は0.1g/kg標準体重/時で投与できる。（臨床 34-114）
☒	末梢静脈栄養法では、ブドウ糖濃度5～10%の溶液を投与できる。（臨床 34-114）
○	末梢静脈栄養法では、浸透圧300 mOsm/Lの溶液を投与できる。（臨床 34-114）
○	末梢静脈栄養では、浸透圧比（血漿浸透圧との比）を3以下とする。（臨床 36-115）
☒	成分栄養剤は、半消化態栄養剤より浸透圧が高い。（臨床 35-115）
☒	半固形栄養剤は、胃瘻に使用できる。（臨床 36-114）
☒	肝不全用経腸栄養剤は、分岐鎖アミノ酸が強化されている。（臨床 35-115）
○	消化管機能が保たれている重症外傷患者に対して受傷後2日目から経腸栄養法を開始する場合、投与ルートは経鼻胃管とする。（臨床 37-135）
○	消化管機能が保たれている重症外傷患者に対して受傷後2日目から経腸栄養法を開始する場合、経腸栄養剤は半消化態栄養剤とする。（臨床 37-135）
○	消化管機能が保たれている重症外傷患者に対して受傷後2日目から経腸栄養法を開始する場合、投与目標量は25～30kcal/kg標準体重/日とする。（臨床 37-135）
☒	免疫賦活を目的とした経腸栄養剤は、n-3系脂肪酸が強化されている。（臨床 35-115）
☒	腎不全患者への静脈栄養法では、NPC/N比を300以上にして投与する。（臨床 36-115）
○	中心静脈栄養法において、50%ブドウ糖基本輸液700ml（1,400kcal）、総合アミノ酸輸液製剤400ml（100kcal、窒素量4g）、20%脂肪乳剤100ml（200kcal）を投与した場合のNPC/N比は400である。（臨床 38-115）

WORD 38

出るトコ徹底分析！

栄養療法

栄養管理の種類と方法

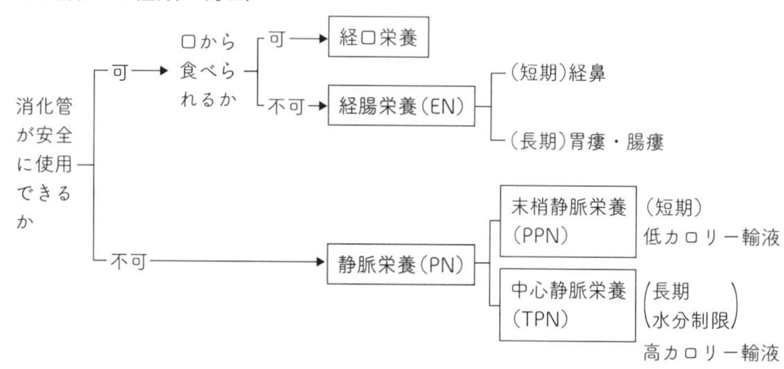

末梢静脈栄養と中心静脈栄養の比較

	末梢静脈栄養	中心静脈栄養
投与法	末梢静脈から点滴	内頸静脈、鎖骨下静脈、大腿静脈などから心臓に近い大静脈までカテーテルを挿入
特徴	低エネルギーであるため、1日に必要なエネルギーを与えることはできない 経口栄養と組み合わせる必要がある	カテーテルによる合併症の危険性が高い 治療が長期化するときに活用できる
成分	維持液、アミノ酸製剤、脂肪製剤など合わせたもの	高カロリー輸液、アミノ酸製剤、脂肪製剤、ビタミン製剤、微量元素の各製剤
投与エネルギー	800～1,000kcal/日	1,500～2,000kcal/日
投与期間	7～10日程度	10日～数年

投与エネルギーの数値以外にも、投与できる栄養素の種類と1日あたりの投与量がよく問われるのね！

RANK

C

ここを押さえれば合格圏！

Cランクには、出題数はそれほど多くはないけれども、出題内容がある程度固定されているワードが多く含まれています。

こういったワードをきっちり押さえておけば、効率よく点数を稼ぐことができるでしょう。

WORD 39

炎症と腫瘍

1 発赤は、炎症の4徴候（Celsusの4徴候）に含まれる。

2 肥大は、炎症の徴候に含まれる。

3 アポトーシスは、炎症を引き起こす。

4 乾酪壊死は、クローン病でみられる。

5 急性炎症では、血管透過性は低下する。

6 線維化は、炎症の慢性期より急性期で著しい。

7 緩和ケアは、がんの診断初期から行う。

8 わが国の肝細胞がんの原因として、B型肝炎ウイルスが最も多い。

9 わが国では、食道がんは、中部食道に比べて下部食道に多い。

10 早期胃がんでは、ボールマン（Borrmann）分類が用いられる。

11 膵がんのリスク因子には、喫煙がある。

12 結腸がんのリスク因子には、EBウイルスがある。

13 閉経後の乳がんのリスク因子に、肥満がある。

14 子宮筋腫は、エストロゲン非依存性疾患である。

15 子宮頸がんの原因で最も多いのは、性器クラミジア感染である。

16 PSAは、卵巣がんの腫瘍マーカーである。

17 前立腺がんでは、血清PSA値が低下する。

18 前立腺がんの進行は、アンドロゲンによって抑制される。

19 褐色細胞腫では、カテコールアミンの分泌が減少する。

20 身体活動の増加は、大腸がんの発症リスクを低減する。

21 がん患者において、悪液質では、筋たんぱく質の同化が優位になる。

- ◯ 発赤は、炎症の4徴候（Celsusの4徴候）に含まれる。（人体 38-22）
- ☒ 肥大は、炎症の徴候に含まれない。（人体 36-23）
- ☒ 壊死は、炎症を引き起こす。（人体 38-22）
- ☒ 乾酪壊死は、結核でみられる。（人体 38-22）
- ☒ 急性炎症では、血管透過性は亢進する。（人体 37-23）
- ☒ 線維化は、炎症の急性期より慢性期で著しい。（人体 36-23）
- ◯ 緩和ケアは、がんの診断初期から行う。（人体 37-25）
- ☒ わが国の肝細胞がんの原因として、C型肝炎ウイルスが最も多い。（人体 34-42）
- ☒ わが国では、食道がんは、下部食道に比べて中部食道に多い。（人体 38-26）
- ☒ 進行胃がんでは、ボールマン（Borrmann）分類が用いられる。（人体 38-26）
- ◯ 膵がんのリスク因子には、喫煙がある。（人体 35-28）
- ☒ 結腸がんのリスク因子には、飲酒や動物性脂肪の高摂取などの食習慣がある。（人体 35-28）
- ◯ 閉経後の乳がんのリスク因子に、肥満がある。（人体 38-37）
- ☒ 子宮筋腫は、エストロゲン依存性疾患である。（人体 38-37）
- ☒ 子宮頸がんの原因で最も多いのは、ヒトパピローマウイルス（HPV）感染である。（人体 38-37）
- ☒ PSAは、前立腺がんの腫瘍マーカーである。（人体 38-37）
- ☒ 前立腺がんでは、血清PSA値が上昇する。（人体 37-37）
- ☒ 前立腺がんの進行は、アンドロゲンによって促進される。（人体 37-37）
- ☒ 褐色細胞腫では、カテコールアミンの分泌が増加する。（人体 37-33）
- ◯ 身体活動の増加は、大腸がんの発症リスクを低減する。（社会 37-7）
- ☒ がん患者において、悪液質では、筋たんぱく質の異化が優位になる。（臨床 35-133）

WORD 39

22 がん患者において、胃切除術後は、カルシウムの吸収が亢進する。

23 がん患者において、上行結腸にストマ（人工肛門）を造設した後は、脱水に注意する。

24 がん患者において、終末期には、経口摂取は禁忌である。

25 肉芽組織は、組織の修復過程で形成される。

26 肉腫は、上皮性の悪性腫瘍である。

27 悪性腫瘍は、浸潤性に増殖する。

28 良性腫瘍は、悪性腫瘍と比べて細胞の分化度が低い。

29 良性腫瘍は、悪性腫瘍に比べて異型性が強い。

☒ がん患者において、胃切除術後は、カルシウムの吸収が低下する。（臨床 35-133）

〇 がん患者において、上行結腸にストマ（人工肛門）を造設した後は、脱水に注意する。（臨床 35-133）

☒ がん患者において、終末期であっても、経口摂取は禁忌ではない。（臨床 35-133）

〇 肉芽組織は、組織の修復過程で形成される。（人体 35-23）

☒ 肉腫は、非上皮性の悪性腫瘍である。（人体 35-23）

〇 悪性腫瘍は、浸潤性に増殖する。（人体 36-23）

☒ 良性腫瘍は、悪性腫瘍と比べて細胞の分化度が高い。（人体 35-23）

☒ 良性腫瘍は、悪性腫瘍に比べて異型性が弱い。（人体 38-22）

WORD 40

国民健康・栄養調査

1 国民健康・栄養調査は、地域保健法に基づき実施される。

2 国民健康・栄養調査の企画立案は、各都道府県が行う。

3 国民健康・栄養調査の調査対象地区は、都道府県知事が定める。

4 国民健康・栄養調査の栄養摂取状況調査には、食物摂取頻度調査法を用いている。

5 国民健康・栄養調査の栄養摂取状況調査の対象者は、1歳以上である。

6 国民健康・栄養調査の栄養摂取状況調査は、3日間実施する。

7 国民健康・栄養調査の栄養摂取状況調査において、対象世帯の個人の摂取量は、案分比率で把握する。

8 国民健康・栄養調査の個人の摂取量は、世帯全体の摂取量に世帯員ごとの摂取割合を乗じて算出する。

9 国民健康・栄養調査では、運動習慣のある者の定義を「1回60分以上の運動を週4回以上実施し、1年以上継続している者」としている。

10 直近5回の国民健康・栄養調査結果によると、「糖尿病が強く疑われる者」の割合は、70歳以上よりも50歳台で多い。

出題科目  社会 公衆

☒ 国民健康・栄養調査は、健康増進法に基づき実施される。（公衆　37-144）

☒ 国民健康・栄養調査の企画立案は、厚生労働省が行う。（公衆　34-145）

☒ 国民健康・栄養調査の調査対象地区は、厚生労働大臣が定める。（公衆　38-143）

☒ 国民健康・栄養調査の栄養摂取状況調査には、秤量記録法を用いている。（公衆　34-145）

○ 国民健康・栄養調査の栄養摂取状況調査の対象者は、1歳以上である。（公衆　34-145）

☒ 国民健康・栄養調査の栄養摂取状況調査は、1日で実施する。（公衆　38-143）

○ 国民健康・栄養調査の栄養摂取状況調査において、対象世帯の個人の摂取量は、案分比率で把握する。（公衆　36-143）

○ 国民健康・栄養調査の個人の摂取量は、世帯全体の摂取量に世帯員ごとの摂取割合を乗じて算出する。（公衆　38-143）

☒ 国民健康・栄養調査では、運動習慣のある者の定義を「1回30分以上の運動を週2回以上実施し、1年以上継続している者」としている。（社会　37-7）

☒ 直近5回の国民健康・栄養調査結果によると、「糖尿病が強く疑われる者」の割合は、50歳台よりも70歳以上で多い。（社会　38-11）

WORD **41**

薬の作用

1 ワルファリンは、ビタミンKの作用を増強する。

2 ワルファリン投与による薬物治療が開始となった脳梗塞の入院患者に、併せて栄養食事指導を行うこととなった際は、薬物との相互作用の観点から青汁に注意すべきである。

3 D-ペニシラミンは、亜鉛の吸収を促進する。

4 メトトレキサートは、葉酸の代謝拮抗作用をもつ。

5 アンジオテンシン変換酵素阻害薬は、尿中ナトリウム排泄を促進する。

6 アンジオテンシンII受容体拮抗薬は、カリウムの再吸収を抑制する。

7 カルシウム拮抗薬は、血管を収縮する。

8 グレープフルーツジュースは、カルシウム拮抗薬の代謝を抑制する。

9 セント・ジョーンズ・ワートは、シクロスポリンの代謝を抑制する。

10 β遮断薬は、気管支を拡張する。

11 サイアザイド系利尿薬は、ナトリウムの尿中排泄を抑制する。

12 SGLT2阻害薬服用により、尿糖陽性となる。

13 SGLT2阻害薬は、腎臓でのグルコースの再吸収を促進する。

14 チアゾリジン薬は、インスリン抵抗性を改善する。

15 ビグアナイド薬は、インスリン分泌を促進する。

16 スルホニル尿素（SU）薬は、腸管でのグルコースの吸収を抑制する。

17 α-グルコシダーゼ阻害薬は、食後に服用する。

18 潰瘍性大腸炎に対して、サラゾスルファピリジンを使用することで、ビタミンKの吸収が低下する。

☒	ワルファリンは、ビタミンKの作用を低下させる。（臨床　35-118）
○	ワルファリン投与による薬物治療が開始となった脳梗塞の入院患者に、併せて栄養食事指導を行うこととなった際は、薬物との相互作用の観点から青汁に注意すべきである。（臨床　38-127）
☒	D-ペニシラミンは、亜鉛の吸収を阻害する。（臨床　35-118）
○	メトトレキサートは、葉酸の代謝拮抗作用をもつ。（臨床　35-118）
○	アンジオテンシン変換酵素阻害薬は、尿中ナトリウム排泄を促進する。（臨床　34-116）
☒	アンジオテンシンII受容体拮抗薬は、カリウムの再吸収を促進する。（臨床　35-118）
☒	カルシウム拮抗薬は、血管を拡張する。（臨床　34-116）
○	グレープフルーツジュースは、カルシウム拮抗薬の代謝を抑制する。（臨床　36-117）
☒	セント・ジョーンズ・ワートは、シクロスポリンの代謝を促進する。（臨床　36-117）
☒	β遮断薬は、気管支を収縮する。（臨床　34-116）
☒	サイアザイド系利尿薬は、ナトリウムの尿中排泄を促進する。（臨床　35-118）
○	SGLT2阻害薬服用により、尿糖陽性となる。（臨床　36-120）
☒	SGLT2阻害薬は、腎臓でのグルコースの再吸収を阻害する。（臨床　37-119）
○	チアゾリジン薬は、インスリン抵抗性を改善する。（臨床　37-119）
☒	GLP-1受容体作動薬は、インスリン分泌を促進する。（臨床　37-119）
☒	スルホニル尿素（SU）薬は、インスリン分泌を促進する。（臨床　37-119）
☒	α-グルコシダーゼ阻害薬は、食前に服用する。（臨床　36-120）
☒	潰瘍性大腸炎に対して、サラゾスルファピリジンを使用することで、葉酸の吸収が低下する。（臨床　34-124）

WORD **41**

19 ステロイド内服薬（コルチゾール）は、血清カリウム値低下に影響する。

20 ヨーグルトは、ビスホスホネート薬の吸収を促進する。

21 高たんぱく質食は、レボドパ（L-ドーパ）の吸収を促進する。

22 高脂肪食は、EPA製剤の吸収を抑制する。

- ◯ ステロイド内服薬（コルチゾール）は、血清カリウム値低下に影響する。（臨床　37-115）
- ☒ ヨーグルトは、ビスホスホネート薬の吸収を抑制する。（臨床　36-117）
- ☒ 高たんぱく質食は、レボドパ（L-ドーパ）の吸収を抑制する。（臨床　36-117）
- ☒ 高脂肪食は、EPA 製剤の吸収を促進する。（臨床　36-117）

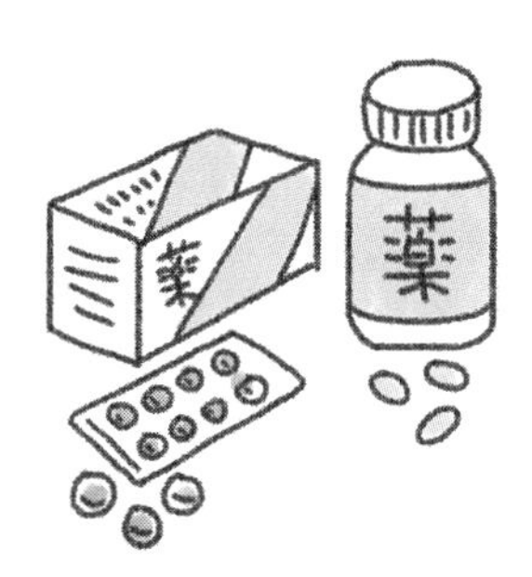

WORD **42**

食品の機能・評価

1 コンデンスミルクは、擬塑性流動を示す。

2 寒天ゲルは、砂糖を添加すると軟らかく仕上がる。

3 ゼラチンゲルは、牛乳を添加すると硬く仕上がる。

4 ゼラチンゲルは、生のオレンジ果汁を添加すると硬く仕上がる。

5 κ-カラギーナンゲルは、室温で融解して容易に崩れる。

6 クロロフィルは、酸性条件下で加熱するとクロロフィリンになる。

7 ニトロソミオグロビンは、加熱するとメトミオクロモーゲンになる。

8 リン酸化オリゴ糖カルシウムは、血中コレステロールを減らす。

9 難消化性オリゴ糖は、歯を丈夫で健康にする。

10 大豆イソフラボンは、おなかの調子を整える。

11 植物ステロールは、骨の健康を保つ。

12 茶カテキンは、体脂肪を減らす。

13 だいこんのイソチオシアネート類は、リポキシゲナーゼの作用で生成する。

14 きゅうりのノナジエナールは、ミロシナーゼの作用で生成する。

15 ヒスタミンは、ヒスチジンの脱アミノ反応により生成する。

16 赤肉種のメロンの主な色素は、アントシアニンである。

17 あまのりの青色色素は、フィコシアニンである。

18 だし汁のうま味は、少量の食塩を加えると弱まる。

19 ぜんざいの甘味は、少量の食塩を加えると弱まる。

20 昆布とかつお節の混合だしは、単独よりもうま味が弱い。

- ○ コンデンスミルクは、擬塑性流動を示す。（食べ物　35-48）
- × 寒天ゲルは、砂糖を添加すると硬く仕上がる。（食べ物　38-66）
- ○ ゼラチンゲルは、牛乳を添加すると硬く仕上がる。（食べ物　38-66）
- × ゼラチンゲルは、生のオレンジ果汁を添加すると軟らかく仕上がる。（食べ物　38-66）
- × κ-カラギーナンゲルは、約60℃以上の加熱で融解して容易に崩れる。（食べ物　38-66）
- × クロロフィルは、アルカリ性条件下で加熱するとクロロフィリンになる。（食べ物　34-51）
- × ニトロソミオグロビンは、加熱するとニトロソミオクロモーゲンになる。（食べ物　34-51）
- × 植物ステロールは、血中コレステロールを減らす。（食べ物　38-49）
- × リン酸化オリゴ糖カルシウムは、歯を丈夫で健康にする。（食べ物　38-49）
- × 難消化性オリゴ糖は、おなかの調子を整える。（食べ物　38-49）
- × 大豆イソフラボンは、骨の健康を保つ。（食べ物　38-49）
- ○ 茶カテキンは、体脂肪を減らす。（食べ物　38-49）
- × だいこんのイソチオシアネート類は、ミロシナーゼの作用で生成する。（食べ物　37-44）
- × きゅうりのノナジエナールは、リポキシゲナーゼの作用で生成する。（食べ物　37-44）
- × ヒスタミンは、ヒスチジンの脱炭酸反応により生成する。（食べ物　38-50）
- × 赤肉種のメロンの主な色素は、β-カロテンである。（食べ物　38-44）
- ○ あまのりの青色色素は、フィコシアニンである。（食べ物　35-44）
- × だし汁のうま味は、少量の食塩を加えると強まる。（食べ物　36-66）
- × ぜんざいの甘味は、少量の食塩を加えると強まる。（食べ物　36-66）
- × 昆布とかつお節の混合だしは、単独よりもうま味が強い。（食べ物　36-66）

WORD 42

21 甘味を繰り返し感じ続けると、甘味を強く感じるようになる。

22 塩辛い食品を食べた後では、水に甘味を感じる。

23 中間水分食品は、生鮮食品と比較して非酵素的褐変が抑制される。

24 たんぱく質の分析方法は、ケルダール法である。

25 脂質の分析方法は、プロスキー法である。

26 脂肪酸の分析方法は、カールフィッシャー法である。

27 ナトリウムの分析方法は、ガスクロマトグラフ法である。

28 嗜好型官能評価では、客観的に試料の差や品質を判断させる。

29 シェッフェの一対比較法は、2種類の試料の一方を2個、他方を1個組み合わせて提示し、異なる1個を選ばせる方法である。

30 SD（セマンティック・ディファレンシャル）法は、相反する形容詞対を用いて試料の特性を評価させる方法である。

31 順位法は、試料の特性の強さや好ましさを数値尺度で評価させる方法である。

☒ 甘味を繰り返し感じ続けると、甘味をあまり感じなくなる。（食べ物 36-66）

〇 塩辛い食品を食べた後では、水に甘味を感じる。（食べ物　36-66）

☒ 中間水分食品は、生鮮食品と比較して非酵素的褐変が促進される。（食べ物　35-47）

〇 たんぱく質の分析方法は、ケルダール法である。（食べ物　37-50）

☒ 脂質の分析方法は、ソックスレー抽出法である。（食べ物　37-50）

☒ 脂肪酸の分析方法は、ガスクロマトグラフ法である。（食べ物　37-50）

☒ ナトリウムの分析方法は、原子吸光光度法である。（食べ物　37-50）

☒ 分析型官能評価では、客観的に試料の差や品質を判断させる。（食べ物 38-63）

☒ 3点識別法は、2種類の試料の一方を2個、他方を1個組み合わせて提示し、異なる1個を選ばせる方法である。（食べ物　38-63）

〇 SD（セマンティック・ディファレンシャル）法は、相反する形容詞対を用いて試料の特性を評価させる方法である。（食べ物　38-63）

☒ 順位法は、試料の特性の強さや好ましさに順位をつけて評価させる方法である。（食べ物　38-63）

出るトコ徹底分析！

食品の色素・テクスチャー

主な植物性色素と食品

<table>
<tr><th colspan="2">分類</th><th>成分</th><th>食品</th><th>色</th></tr>
<tr><td colspan="2">クロロフィル色素</td><td>クロロフィル</td><td>植物の緑葉、野菜、果実</td><td>緑色</td></tr>
<tr><td rowspan="9">カロテノイド系色素</td><td rowspan="3">カロテン類</td><td>α－カロテン</td><td>緑葉、にんじん</td><td rowspan="3">緑黄色もしくは赤色</td></tr>
<tr><td>β－カロテン</td><td>にんじん、さつまいも</td></tr>
<tr><td>リコペン</td><td>トマト、すいか</td></tr>
<tr><td rowspan="6">キサントフィル類</td><td>クリプトキサンチン</td><td>みかん</td><td rowspan="6">黄橙色～赤色</td></tr>
<tr><td>ゼアキサンチン</td><td>とうもろこし</td></tr>
<tr><td>カプサンチン</td><td>とうがらし、赤ピーマン</td></tr>
<tr><td>フコキサンチン</td><td>こんぶ、わかめ</td></tr>
<tr><td>ビオラキサンチン</td><td>柑橘類、緑葉</td></tr>
<tr><td>ルテイン</td><td>とうもろこし、緑葉</td></tr>
<tr><td rowspan="7">フラボノイド関連化合物</td><td rowspan="2">フラボノイド系色素</td><td>アピイン</td><td>パセリの葉</td><td rowspan="2">淡黄色</td></tr>
<tr><td>ケルシトリン</td><td>植物</td></tr>
<tr><td rowspan="3">アントシアニン系色素</td><td>カリステフィン</td><td>いちご</td><td rowspan="3">青色、赤色</td></tr>
<tr><td>シソニン</td><td>赤しそ</td></tr>
<tr><td>ナスニン</td><td>なす</td></tr>
<tr><td rowspan="2">その他</td><td>カルコン</td><td>紅花</td><td>黄色、赤色</td></tr>
<tr><td>カテキン</td><td>茶葉</td><td>暗赤色</td></tr>
</table>

テクスチャー

性質		説明	食品の例
弾性		外力による変形が戻る性質	ー
粘性		流速に対する抵抗（摩擦力の強さ）	ー
非ニュートン流体	塑性流動	そのままでは固体のように流動性をもたないが、ある力以上の強さで流動を始める現象	マーガリン バター マヨネーズ チョコレート
	擬塑性流動	攪拌速度の増大によりみかけの粘度が減少する現象	コンデンスミルク
	ダイラタンシー	みかけの粘度が増加する現象（弱い力では流動性が増加し、強い力では固体のように硬くなる）	でんぷん懸濁液
	チキソトロピー	振動によりゲル状のものがゾル状に可逆的に変化する現象（静かに放置すると流動性が減少する）	クリーム ケチャップ マヨネーズ

力と変形速度が比例関係にある流体が
「ニュートン流体」
比例関係にない流体が
「非ニュートン流体」
なんだね！

WORD **43**

食品の変質

1 細菌による食品の腐敗は、水分活性の低下により促進される。

2 K 値は、ATP 関連物質中におけるイノシンの割合が増加すると低下する。

3 酸価は、油脂中の遊離脂肪酸量が増加すると低下する。

4 過酸化物価は、油脂の酸敗で生じるアルデヒド量の指標である。

5 油脂の酸敗は、光により抑制される。

6 飽和脂肪酸は、多価不飽和脂肪酸よりも自動酸化が進行しやすい。

7 ビタミン E の添加は、油脂の自動酸化を抑制する。

8 揮発性塩基窒素は、たんぱく質の変質が進行すると減少する。

9 わが国ではじゃがいもの発芽防止に、ベータ線の照射が用いられている。

10 りんごの切断面の褐変は、ポリフェノールオキシダーゼの触媒作用が関与している。

11 なすのナスニンは、金属イオンに対するキレート作用で退色する。

12 にんじんのβ-カロテンは、光照射によって色調が変化する。

出題科目 ▶ 食べ物

- ☒ 細菌による食品の腐敗は、水分活性の低下により抑制される。（食べ物 37-51）
- ☒ K値は、ATP関連物質中におけるイノシンの割合が増加すると上昇する。（食べ物 37-51）
- ☒ 酸価は、油脂中の遊離脂肪酸量が増加すると上昇する。（食べ物 37-51）
- ☒ 過酸化物価は、初期酸化の程度を示す指標である。（食べ物 38-50）
- ☒ 油脂の酸敗は、光により促進される。（食べ物 38-50）
- ☒ 飽和脂肪酸は、多価不飽和脂肪酸よりも自動酸化が進行しにくい。（食べ物 36-51）
- ○ ビタミンEの添加は、油脂の自動酸化を抑制する。（食べ物 34-54）
- ☒ 揮発性塩基窒素は、たんぱく質の変質が進行すると増加する。（食べ物 37-51）
- ☒ わが国ではじゃがいもの発芽防止に、ガンマ線の照射が用いられている。（食べ物 37-55）
- ○ りんごの切断面の褐変は、ポリフェノールオキシダーゼの触媒作用が関与している。（食べ物 38-50）
- ☒ なすのナスニンは、金属イオンに対するキレート作用で色が安定する。（食べ物 37-44）
- ○ にんじんのβ-カロテンは、光照射によって色調が変化する。（食べ物 37-44）

WORD 44 食品の表示

1 食品表示基準に基づく一般用加工食品の表示には、期限表示として製造日を表示しなくてはならない。

2 品質が急速に劣化しやすい食品には、賞味期限を表示しなければならない。

3 品質の劣化が極めて少ないものは、消費期限または賞味期限の表示を省略することができる。

4 100g当たりの熱量が25kcalの場合は、「0」と表示することができる。

5 たんぱく質は、「低い旨」の強調表示に関する基準値がある。

6 飽和脂肪酸の量の表示は、推奨されている。

7 食物繊維量は、表示が推奨されている。

8 原材料として食塩を使用していない場合も、食塩相当量の表示が必要である。

9 食塩相当量の表示値は、グルタミン酸ナトリウムに由来するナトリウムを含まない。

10 100g当たりのナトリウム量が5mg未満の食品には、食塩を含まない旨の強調表示ができる。

11 分別生産流通管理された遺伝子組換え農作物を主な原材料とする場合は、遺伝子組換え食品に関する表示を省略することができる。

12 大麦を原材料に含む場合は、アレルゲンとしての表示が義務づけられている。

☒ 食品表示基準に基づく一般用加工食品の表示には、期限表示として基本的に消費期限か賞味期限のどちらかを表示しなくてはならない。（食べ物 34-59）

☒ 品質が急速に劣化しやすい食品には、消費期限を表示しなければならない。（食べ物 37-57）

◯ 品質の劣化が極めて少ないものは、消費期限または賞味期限の表示を省略することができる。（食べ物 35-58）

☒ 100g当たりの熱量が5kcal未満の場合は、「0」と表示することができる。（食べ物 38-56）

☒ たんぱく質は、「高い旨」「含む旨」「強化された旨」の強調表示に関する基準値がある。（食べ物 38-56）

◯ 飽和脂肪酸の量の表示は、推奨されている。（食べ物 38-56）

◯ 食物繊維量は、表示が推奨されている。（食べ物 37-57）

◯ 原材料として食塩を使用していない場合も、食塩相当量の表示が必要である。（食べ物 36-57）

☒ 食塩相当量の表示値は、グルタミン酸ナトリウムに由来するナトリウムを含む。（食べ物 37-57）

◯ 100g当たりのナトリウム量が5mg未満の食品には、食塩を含まない旨の強調表示ができる。（食べ物 35-58）

☒ 分別生産流通管理された遺伝子組換え農作物を主な原材料とする場合は、遺伝子組換え食品に関する表示を省略することができない。（食べ物 37-57）

☒ 大麦を原材料に含む場合は、アレルゲンとしての表示が義務づけられていない。（食べ物 37-57）

WORD **44**

出るトコ徹底分析！

特に気をつけたい原材料表示

アレルギー原因物質を含む食品の表示

表示	品目	用語
義務	えび、かに、卵、乳、小麦、そば、落花生、くるみ	特定原材料（8品目）
推奨	アーモンド、あわび、いか、いくら、オレンジ、カシューナッツ、キウイフルーツ、牛肉、ごま、さけ、さば、大豆、鶏肉、バナナ、豚肉、マカダミアナッツ、もも、やまいも、りんご、ゼラチン	特定原材料に準ずるもの（20品目）

どの品目が義務表示で、どの品目が推奨表示であるかについてよく問われる！

遺伝子組換え食品の表示

日本では、食品表示法によって表示に関する規定が設けられています。

表示義務の対象となる遺伝子組換え食品

既に審査済みの遺伝子組換え食品と同一の科に属する作物である食品及びこれを原材料とする加工食品	
作物9種類の農産物	大豆（枝豆、大豆もやしを含む）、とうもろこし、ばれいしょ、なたね、綿実、アルファルファ、てん菜、パパイヤ、からしな
加工食品	上記を原材料とし、加工工程後も組み換えられたDNAまたはこれによって生じたたんぱく質が検出できる加工食品33食品群及びステアリドン酸産生遺伝子組換え大豆及びこれを原材料として使用した加工食品（大豆油等）等

どの原材料を用いたときに表示義務が生じるのかが問われる！

遺伝子組換え食品の表示方法

・従来のものと組成、栄養価等が同等のもの（除草剤の影響を受けないようにした大豆、害虫に強いとうもろこしなど）
・農産物及びこれを原材料とする加工食品であって、加工後も組み換えられたDNAまたはこれによって生じたたんぱく質が検出できるとされているもの（9作物及び33食品群）

遺伝子組換え農産物を原材料とする場合（※）	**「大豆（遺伝子組換え）」等**	**義務表示**
遺伝子組換え農産物と非遺伝子組換え農産物が不分別の農産物を原材料とする場合	**「大豆（遺伝子組換え不分別）」等**	**義務表示**
分別生産流通管理をして、意図せざる混入を5%以下に抑えている大豆及びとうもろこし並びにそれらを原材料とする加工食品	**「大豆（分別生産流通管理済み）」等**	**任意表示**
遺伝子組換えでない農産物を原材料とする場合（※）	**「大豆（遺伝子組換えでない）」等**	**任意表示**

※　分別生産流通管理したものに限る。分別生産流通管理とは、遺伝子組換え農産物と遺伝子組換えでない農産物を、農場から食品製造業者まで生産、流通及び加工の各段階で相互に混入が起こらないよう管理し、そのことが書類等により証明されていることをいう。

WORD

45 食品添加物

1 食品添加物の一日摂取許容量（ADI）は、厚生労働省が設定する。

2 食品添加物の無毒性量（NOAEL）は、ヒトに対する毒性試験の結果に基づいて設定される。

3 指定添加物は、天然由来の添加物を含まない。

4 天然香料とは、動植物から得られた物又はその混合物で、食品の着香の目的で使用される添加物をいう。

5 食品添加物は、使用量が少ない順に表示しなくてはならない。

6 使用した食品添加物は、原材料と明確に区別して表示する。

7 調味を目的に添加されたアミノ酸類は、一括名での表示が可能である。

8 加工助剤は、食品添加物の表示が免除される。

9 輸入した柑橘類をばら売りする場合、添加された防かび剤の表示は省略できる。

10 着色料である赤色２号は、既存添加物に分類される。

11 コチニール色素の主色素は、アントシアニンである。

12 グルコノデルタラクトンは、豆腐用凝固剤である。

13 ナイシンは、酸化防止剤として用いられる。

14 ソルビン酸カリウムは、酸化防止剤である。

15 サッカリンナトリウムは、甘味づけの目的で添加される。

16 ステビア抽出物は、栄養強化剤である。

17 ナイシンは、甘味料である。

18 イマザリルは、保存料である。

19 亜硫酸ナトリウムは、漂白剤として使用される。

20 亜硝酸イオンは、ミオグロビンの発色に関与している。

☒	食品添加物の一日摂取許容量（ADI）は、食品安全委員会が設定する。（食べ物 37-56）
☒	食品添加物の無毒性量（NOAEL）は、動物に対する毒性試験の結果に基づいて設定される。（食べ物 37-56）
☒	指定添加物は、天然由来の添加物を含む。（食べ物 35-57）
◯	天然香料とは、動植物から得られた物又はその混合物で、食品の着香の目的で使用される添加物をいう。（食べ物 34-53）
☒	食品添加物は、使用量が多い順に表示しなくてはならない。（食べ物 38-56）
◯	使用した食品添加物は、原材料と明確に区別して表示する。（食べ物 36-57）
◯	調味を目的に添加されたアミノ酸類は、一括名での表示が可能である。（食べ物 37-56）
◯	加工助剤は、食品添加物の表示が免除される。（食べ物 36-57）
☒	輸入した柑橘類をばら売りする場合、添加された防かび剤の表示は省略できない。（食べ物 37-56）
☒	着色料である赤色２号は、指定添加物に分類される。（食べ物 37-56）
☒	コチニール色素の主色素は、カルミン酸である。（食べ物 36-56）
◯	グルコノデルタラクトンは、豆腐用凝固剤である。（食べ物 38-55）
☒	ナイシンは、保存料として用いられる。（食べ物 36-56）
☒	ソルビン酸カリウムは、保存料である。（食べ物 38-55）
◯	サッカリンナトリウムは、甘味づけの目的で添加される。（食べ物 35-57）
☒	ステビア抽出物は、甘味料である。（食べ物 38-55）
☒	ナイシンは、保存料である。（食べ物 38-55）
☒	イマザリルは、防かび剤である。（食べ物 38-55）
◯	亜硫酸ナトリウムは、漂白剤として使用される。（食べ物 34-58）
◯	亜硝酸イオンは、ミオグロビンの発色に関与している。（食べ物 36-56）

WORD **46** 食品の保存・容器

1 冷凍におけるグレーズは、食品の酸化を防ぐ効果がある。

2 最大氷結晶生成帯を短時間で通過させると、品質の低下は抑制される。

3 パーシャルフリージングは、-10～-15℃の範囲で行われる。

4 フリーズドライでは、食品中の水分は氷から水蒸気となる。

5 食品中の結合水は、食品成分と共有結合を形成している。

6 塩蔵では、結合水の量を減らすことで保存性を高める。

7 水分活性が極めて低い場合には、脂質の酸化が促進される。

8 牛乳の高温短時間殺菌は、120～150℃で 2～4 秒間行われる。

9 青果物の品温を 20℃から 10℃に下げると、呼吸量は 1/2～1/3 に抑制される。

10 ガス置換による保存・貯蔵では、空気を酸素に置換する。

11 酸を用いた保存では、無機酸が用いられる。

12 熱燻法は、冷燻法に比べて保存性が高い。

13 真空包装は、嫌気性微生物の生育を阻止する。

14 容器包装に密封した常温流通食品のうち、pH が 4.6 を超え、かつ、水分活性が 0.94 を超えるものは、120℃ 4 分間以上の加熱により殺菌する。

15 セロハンは、防湿性が高い。

16 ガラスは、ガス遮断性が低い。

17 紫外線照射は、食品の中心部まで殺菌することができる。

18 わが国では、γ線照射による殺菌が認められている。

〇 冷凍におけるグレーズは、食品の酸化を防ぐ効果がある。（食べ物 35-63）

〇 最大氷結晶生成帯を短時間で通過させると、品質の低下は抑制される。（食べ物 34-62）

☒ パーシャルフリージングは、−3℃付近で行われる。（食べ物 38-62）

〇 フリーズドライでは、食品中の水分は氷から水蒸気となる。（食べ物 38-62）

☒ 食品中の結合水は、食品成分と主に水素結合を形成している。（食べ物 35-47）

☒ 塩蔵では、結合水の量を増やし、自由水の量を減らすことで保存性を高める。（食べ物 35-47）

〇 水分活性が極めて低い場合には、脂質の酸化が促進される。（食べ物 35-47）

☒ 牛乳の高温短時間殺菌は、72～85℃で 15 秒以上行われる。（食べ物 38-62）

〇 青果物の品温を 20℃から 10℃に下げると、呼吸量は 1/2～1/3 に抑制される。（食べ物 36-62）

☒ ガス置換による保存・貯蔵では、空気を窒素または二酸化炭素に置換する。（食べ物 35-63）

☒ 酸を用いた保存では、有機酸が用いられる。（食べ物 34-62）

☒ 熱燻法は、冷燻法に比べて保存性が低い。（食べ物 36-62）

☒ 真空包装は、好気性微生物の生育を阻止する。（食べ物 34-63）

〇 容器包装に密封した常温流通食品のうち、pH が 4.6 を超え、かつ、水分活性が 0.94 を超えるものは、120℃ 4 分間以上の加熱により殺菌する。（食べ物 37-63）

☒ セロハンは、防湿性が低い。（食べ物 36-63）

☒ ガラスは、ガス遮断性が高い。（食べ物 36-63）

☒ 紫外線照射は、食品の中心部まで殺菌することができない。（食べ物 38-62）

☒ わが国では、γ線照射による殺菌が認められていない。（食べ物 38-50）

WORD 47 食品加工

1 アルファ化米は、炊飯した米を冷却後、乾燥させたものである。

2 無洗米は、精白後に残る米表面のぬかを取り除いたものである。

3 ビーフンは、うるち米を主原料として製造される。

4 ポップコーンは、とうもろこしの甘味種を主原料として製造される。

5 コーングリッツは、とうもろこしを湿式粉砕して製造する。

6 オートミールは、大麦をローラーで押しつぶして製造される。

7 ライ麦パンは、グルテンを利用して製造される。

8 薄力粉のたんぱく質含量は、12～13%である。

9 こんにゃくの製造には、水酸化カルシウムを使用する。

10 かまぼこの製造では、魚肉に塩化マグネシウムを加えてすり潰す。

11 豆腐の製造では、豆乳に水酸化カルシウムを加えて凝固させる。

12 凍り豆腐は、豆腐を凍結後に低温で乾燥させたものである。

13 干し柿の製造では、タンニンの水溶化により渋味を除去する。

14 ジャムは、防腐効果を高めるために、砂糖濃度を低くする。

15 ビールの製造には、麹かびが関わる。

16 清酒の製造には、青かびが関わる。

17 ワインの製造には、枯草菌が関わる。

18 食酢の製造には、乳酸菌が関わる。

☒ アルファ化米は、炊飯した米を熱風で急速に乾燥させたものである。（食べ物　35-61）

○ 無洗米は、精白後に残る米表面のぬかを取り除いたものである。（食べ物　35-61）

○ ビーフンは、うるち米を主原料として製造される。（食べ物　36-44）

☒ ポップコーンは、爆裂種のとうもろこしを主原料として製造される。（食べ物　36-44）

☒ コーングリッツは、とうもろこしを乾式粉砕して製造する。（食べ物　37-61）

☒ オートミールは、えん麦をローラーで押しつぶして製造される。（食べ物　36-44）

☒ ライ麦パンは、サワードウを利用して製造される。（食べ物　36-44）

☒ 薄力粉のたんぱく質含量は、8～9％である。（食べ物　35-61）

○ こんにゃくの製造には、水酸化カルシウムを使用する。（食べ物　37-61）

☒ かまぼこの製造では、魚肉に塩化ナトリウムを加えてすり潰す。（食べ物　34-61）

☒ 豆腐の製造では、豆乳に塩化マグネシウムを加えて凝固させる。（食べ物　34-61）

○ 凍り豆腐は、豆腐を凍結後に低温で乾燥させたものである。（食べ物　36-46）

☒ 干し柿の製造では、タンニンの不溶化により渋味を除去する。（食べ物　34-61）

☒ ジャムは、防腐効果を高めるために、砂糖濃度を高くする。（食べ物　36-65）

☒ ビールの製造には、酵母が関わる。（食べ物　38-61）

☒ 清酒の製造には、麹かびと酵母が関わる。（食べ物　38-61）

☒ ワインの製造には、酵母が関わる。（食べ物　36-61）

☒ 食酢の製造には、酢酸菌が関わる。（食べ物　36-61）

WORD 47

19 糸引き納豆の製造には、酵母が関わる。

20 漬物の製造には、乳酸菌が関わる。

21 味噌の製造には、こうじかびが関わる。

22 食品加工に利用されるパパインは、みかん缶詰製造における白濁原因物質の除去に利用する。

23 食品加工に利用されるトランスグルタミナーゼは、かまぼこ製造におけるゲル形成の向上に利用する。

24 食品加工に利用される酵素のペクチナーゼの基質は、イヌリンである。

25 食品加工に利用される酵素のキモシンの基質は、カゼインである。

26 加工食品で利用されているアガロースの原料には、あまのりがある。

27 加工食品で利用されているアルギン酸の原料には、昆布がある。

28 加工食品で利用されているペクチンの原料には、てんぐさがある。

29 精密ろ過は、主に高分子化合物の濃縮に用いられる。

30 ヘキサン抽出は、水溶性成分の抽出に用いられる。

31 超臨界抽出は、コーヒーの脱カフェインに用いられる。

32 エクストルーダー加工は、液状食品の粉末化に用いられる。

☒ 糸引き納豆の製造には、納豆菌が関わる。（食べ物　38-61）

○ 漬物の製造には、乳酸菌が関わる。（食べ物　38-61）

○ 味噌の製造には、こうじかびが関わる。（食べ物　36-61）

☒ 食品加工に利用されるヘスペリジナーゼは、みかん缶詰製造における白濁原因物質の除去に利用する。（食べ物　37-60）

○ 食品加工に利用されるトランスグルタミナーゼは、かまぼこ製造におけるゲル形成の向上に利用する。（食べ物　37-60）

☒ 食品加工に利用される酵素のペクチナーゼの基質は、ペクチンである。（食べ物　38-60）

○ 食品加工に利用される酵素のキモシンの基質は、カゼインである。（食べ物　38-60）

☒ 加工食品で利用されているポルフィランの原料には、あまのりがある。（食べ物　37-62）

○ 加工食品で利用されているアルギン酸の原料には、昆布がある。（食べ物　37-62）

☒ 加工食品で利用されているアガロースの原料には、てんぐさがある。（食べ物　37-62）

☒ 限外ろ過は、主に高分子化合物の濃縮に用いられる。（食べ物　38-59）

☒ ヘキサン抽出は、脂溶性成分の抽出に用いられる。（食べ物　38-59）

○ 超臨界抽出は、コーヒーの脱カフェインに用いられる。（食べ物　38-59）

☒ エクストルーダー加工は、粉体状またはペースト状の食品の成形加工に用いられる。（食べ物　38-59）

WORD **48** 調理・配膳

1 アルミニウム鍋は、耐熱ガラス鍋より保温性が高い。

2 ステンレス鍋は、鉄鍋より熱が伝わりやすい。

3 土鍋は、電気コンロで使用できる。

4 アルマイト鍋は、電子レンジで使用できる。

5 鉄ほうろう鍋は、電磁調理器で使用できない。

6 カリフラワーは、重曹とともにゆでると白色になる。

7 アイスティーのクリームダウンを防ぐために、急速に冷却する。

8 切ったりんごを食塩水につけて、褐変を防止する。

9 食塩を小麦粉生地に添加して、粘弾性を低下させる。

10 食塩を野菜にふりかけて、脱水させる。

11 食塩をひき肉に添加して、こねた時の粘着性を増加させる。

12 食塩を魚にふりかけて、臭い成分を除去する。

13 霜ふりは、魚に10%程度の食塩を振りかけることをいう。

14 さばの普通筋は、酢じめすると白色になる。

15 鯉は、歯ごたえを良くするために、そぎ切りにして氷水に漬ける。

16 生のひらめの肉質は、生のかつおに比べて軟らかい。

17 筋形質たんぱく質の少ない魚は、煮ると身がしまって硬くなる。

18 煮こごりは、筋原線維たんぱく質がゲル化したものである。

19 こまつなのカリウムは、ゆでることにより多くはゆで汁に溶出する。

20 野菜のカロテンは、油炒めにより消化管からの吸収が良くなる。

☒ アルミニウム鍋は、耐熱ガラス鍋より保温性が低い。（食べ物　38-64）

☒ ステンレス鍋は、鉄鍋より熱が伝わりにくい。（食べ物　38-64）

○ 土鍋は、電気コンロで使用できる。（食べ物　38-64）

☒ アルマイト鍋は、電子レンジで使用できない。（食べ物　38-64）

☒ 鉄ほうろう鍋は、電磁調理器で使用できる。（食べ物　38-64）

☒ カリフラワーは、酢とともにゆでると白色になる。（食べ物　37-65）

○ アイスティーのクリームダウンを防ぐために、急速に冷却する。（食べ物　34-66）

○ 切ったりんごを食塩水につけて、褐変を防止する。（食べ物　36-64）

☒ 食塩を小麦粉生地に添加して、粘弾性を増加させる。（食べ物　36-64）

○ 食塩を野菜にふりかけて、脱水させる。（食べ物　36-64）

○ 食塩をひき肉に添加して、こねた時の粘着性を増加させる。（食べ物　36-64）

○ 食塩を魚にふりかけて、臭い成分を除去する。（食べ物　36-64）

☒ 霜ふりは、魚に熱湯をかけたりくぐらせたりすることをいう。（食べ物　38-65）

○ さばの普通筋は、酢じめすると白色になる。（食べ物　37-65）

○ 鯉は、歯ごたえを良くするために、そぎ切りにして氷水に漬ける。（食べ物　37-64）

☒ 生のひらめの肉質は、生のかつおに比べて硬い。（食べ物　38-65）

☒ 筋形質たんぱく質の多い魚は、煮ると身がしまって硬くなる。（食べ物　38-65）

☒ 煮こごりは、肉基質たんぱく質がゲル化したものである。（食べ物　38-65）

○ こまつなのカリウムは、ゆでることにより多くはゆで汁に溶出する。（食べ物　37-66）

○ 野菜のカロテンは、油炒めにより消化管からの吸収が良くなる。（食べ物　37-66）

WORD 48

21 日本料理の日常食では、喫食者から見て、飯を右側、汁物を左側に置く。

22 日本料理の日常食では、喫食者から見て、主菜を飯の奥に置く。

23 西洋料理では、喫食者から見て、肉用ナイフを皿の手前に置く。

24 西洋料理では、喫食者から見て、スープスプーンを皿の右側に置く。

☒ 日本料理の日常食では、喫食者から見て、飯を左側、汁物を右側に置く。（食べ物 36-67）

☒ 日本料理の日常食では、喫食者から見て、主菜を奥右側（汁椀の奥）に置く。（食べ物 36-67）

☒ 西洋料理では、喫食者から見て、肉用ナイフを皿の右側に置く。（食べ物 36-67）

◯ 西洋料理では、喫食者から見て、スープスプーンを皿の右側に置く。（食べ物 36-67）

WORD **49**

食料需給表・食料問題

1 人間は、食物連鎖の二次消費者に位置している。

2 わが国の食料自給率は、食品安全委員会によって算出・公表されている。

3 輸入食品を含めた潜在的供給能力を、食料自給力という。

4 フードバランスシート（食料需給表）には、国民が摂取した食料の総量が示されている。

5 わが国の食料自給率は、フードバランスシート（食糧需給表）の結果を用いて算出されている。

6 品目別食料自給率は、各品目における自給率を重量ベースで算出している。

7 わが国の生産額ベースの総合食料自給率は、2000年以降約60～70%で推移している。

8 最近10年間のカロリーベースの総合食料自給率は、生産額ベースより高い。

9 食品ロスは、生産された食料のうち不可食部の廃棄を示している。

10 フードマイレージとは、生産地から消費地までの輸送手段のことである。

11 フードマイレージには、海外から自国までの移動距離は含まれない。

12 地産地消により、フードマイレージは増加する。

13 わが国のフードマイレージは、米国に比べて低い。

14 食料品が入手困難となる社会状況を、フードファディズムという。

出題科目 ▶ 食べ物 公衆

☒ 人間は、食物連鎖の高次消費者に位置している。(食べ物 37-43)

☒ わが国の食料自給率は、農林水産省によって算出・公表されている。(公衆 34-139)

☒ 輸入食品を含めない潜在的供給能力を、食料自給力という。(公衆 38-139)

☒ フードバランスシート(食料需給表)には、わが国で供給される食料の生産から最終消費に至るまでの総量が示されている。(公衆 35-139)

○ わが国の食料自給率は、フードバランスシート(食糧需給表)の結果を用いて算出されている。(公衆 34-139)

○ 品目別食料自給率は、各品目における自給率を重量ベースで算出している。(公衆 36-139)

○ わが国の生産額ベースの総合食料自給率は、2000年以降約60〜70%で推移している。(食べ物 37-43)

☒ 最近10年間のカロリーベースの総合食料自給率は、生産額ベースより低い。(公衆 38-139)

☒ 食品ロスは、生産された食料のうち可食部の廃棄を示している。(食べ物 37-43)

☒ フードマイレージとは、食料の輸送量に輸送距離を乗じた指標のことである。(公衆 35-139)

☒ フードマイレージには、海外から自国までの移動距離は含まれる。(食べ物 36-43)

☒ 地産地消により、フードマイレージは減少する。(食べ物 36-43)

☒ わが国のフードマイレージは、米国に比べて高い。(食べ物 36-43)

☒ 食料品が入手困難となる社会状況を、フードデザートという。(公衆 36-139)

WORD

50 食事摂取量の測定・評価

1	半定量食物摂取頻度調査法の質問票の開発では、妥当性の検討が必要である。
2	食物摂取頻度調査法は、24 時間食事思い出し法に比べて調査者の負担が大きい。
3	食物摂取頻度調査法の再現性は、同一集団を対象として検討される。
4	食事記録法は、食物摂取頻度調査法に比べて個人の記憶に依存する。
5	食事記録法は、食物摂取頻度調査法に比べて、対象者の負担が小さい。
6	食事記録法において、目安量法は秤量法に比べて摂取量推定の誤差が小さい。
7	陰膳法による調査結果は、食品成分表の精度の影響を受ける。
8	陰膳法は、習慣的な摂取量を把握することに適している。
9	24 時間食事思い出し法では、食物摂取頻度調査法に比べて、調査者の熟練を必要とする。
10	食事調査における栄養素摂取量のエネルギー調整は、ある特定の栄養素摂取量と疾病との関連を検討する際に有用である。
11	食事調査における栄養素摂取量のエネルギー調整は、過小申告の程度を評価することができる。
12	食事調査における栄養素摂取量のエネルギー調整に関して、脂肪エネルギー比率は、残差法によるエネルギー調整値である。
13	食事調査における栄養素摂取量のエネルギー調整に関して、密度法によるエネルギー調整値は、観察集団のエネルギー摂取量の平均値を用いて算出する。
14	食事調査において、摂取量の分布の幅は、1 日調査と比べて、複数日の調査では大きくなる。

出題科目 ▶ 公衆 給食

○ 半定量食物摂取頻度調査法の質問票の開発では、妥当性の検討が必要である。（公衆 35-147）

☒ 食物摂取頻度調査法は、24時間食事思い出し法に比べて調査者の負担が小さい。（公衆 35-147）

○ 食物摂取頻度調査法の再現性は、同一集団を対象として検討される。（公衆 37-146）

☒ 食事記録法は、食物摂取頻度調査法に比べて個人の記憶に依存しない。（公衆 35-147）

☒ 食事記録法は、食物摂取頻度調査法に比べて、対象者の負担が大きい。（公衆 37-146）

☒ 食事記録法において、目安量法は秤量法に比べて摂取量推定の誤差が大きい。（公衆 35-147）

☒ 陰膳法による調査結果は、食品成分表の精度の影響を受けない。（公衆 34-148）

☒ 陰膳法は、習慣的な摂取量を把握することに適していない。（公衆 35-147）

○ 24時間食事思い出し法では、食物摂取頻度調査法に比べて、調査者の熟練を必要とする。（公衆 36-147）

○ 食事調査における栄養素摂取量のエネルギー調整は、ある特定の栄養素摂取量と疾病との関連を検討する際に有用である。（公衆 35-148）

☒ 食事調査における栄養素摂取量のエネルギー調整は、過小申告の程度を評価することができない。（公衆 35-148）

☒ 食事調査における栄養素摂取量のエネルギー調整に関して、脂肪エネルギー比率は、密度法によるエネルギー調整値である。（公衆 35-148）

☒ 食事調査における栄養素摂取量のエネルギー調整に関して、残差法によるエネルギー調整値は、観察集団のエネルギー摂取量の平均値を用いて算出する。（公衆 35-148）

☒ 食事調査において、摂取量の分布の幅は、1日調査と比べて、複数日の調査では小さくなる。（公衆 34-147）

15 食事調査において、標本調査で調査人数を多くすると、個人内変動は小さくなる。

16 食事調査において、個人内変動の大きさは、栄養素間で差はない。

17 食事調査において、個人内変動の一つに、日間変動がある。

18 食事調査において、変動係数（%）は、標準誤差／平均× 100 で表される。

19 偶然誤差とは、結果が真の値から一定方向へずれることをいう。

20 食事調査における情報バイアスは、偶然誤差の一種である。

21 食事調査における集団の平均摂取量の推定では、調査対象者の数を増やすと偶然誤差が小さくなる。

22 介護保険施設における、目測法による個人の食事摂取量は、食べ残し量で摂取量を評価する。

☒ 食事調査において、標本調査で調査人数を多くすると、個人間変動は小さくなる。（公衆　34-147）

☒ 食事調査において、個人内変動の大きさは、栄養素間で差がある。（公衆　34-147）

○ 食事調査において、個人内変動の一つに、日間変動がある。（公衆　34-147）

☒ 食事調査において、変動係数（%）は、標準偏差／平均×100で表される。（公衆　34-147）

☒ 系統誤差とは、結果が真の値から一定方向へずれることをいう。（公衆　36-146）

☒ 食事調査における情報バイアスは、系統誤差の一種である。（公衆　38-146）

○ 食事調査における集団の平均摂取量の推定では、調査対象者の数を増やすと偶然誤差が小さくなる。（公衆　38-146）

○ 介護保険施設における、目測法による個人の食事摂取量は、食べ残し量で摂取量を評価する。（給食　36-159）

WORD **50**

出るトコ徹底分析！

食事調査法の分類

食事調査法の分類

<table>
<tr><th colspan="2">調査法</th><th>対象期間</th><th colspan="2">概要</th></tr>
<tr><td colspan="2">食物摂取頻度調査法</td><td>過去</td><td colspan="2">ある一定期間内に、代表的な食品をどれくらいの量、頻度で摂取したかを、自記式（もしくは面接）で記録する
調査票は①食品リスト、②摂取頻度、③目安量で構成される</td></tr>
<tr><td colspan="2">食事歴法</td><td>過去</td><td colspan="2">調査（面接）者が、対象者の通常の食事パターン（どのような食品をどれくらいの量、頻度で摂取するか）を聴取し、栄養素の摂取量を算出する</td></tr>
<tr><td colspan="2">24時間食事思い出し法</td><td>過去</td><td colspan="2">調査（面接）者が、対象者が前日に摂取した食品の種類と量を聴取し、１日の栄養素摂取量を算出する</td></tr>
<tr><td rowspan="2">食事記録法</td><td>秤量法</td><td rowspan="2">現在</td><td rowspan="2">対象者が、一定期間内に摂取した食品名、料理名、摂取量などを記録する</td><td>秤や計量カップ、計量スプーンなどを用いて、測定し記載する
国民健康・栄養調査で使用</td></tr>
<tr><td>目安法</td><td>重量測定を行わず、個数などの目安量で記録する</td></tr>
<tr><td colspan="2">分析法（陰膳法）</td><td>現在</td><td colspan="2">対象者が摂取した食品を同一量買い上げ、化学分析を行って栄養素の摂取量を算出する</td></tr>
</table>

長所	短所
個人の習慣的な栄養素の摂取状況が把握できる 簡便性が高い	対象者の記憶に依存する 精度が低い
調理法や食べ合わせの影響を分析することも可能	調査項目が多い 特定の食事パターンがない場合は不向き
対象者の負担が小さい 簡便性が比較的高い	対象者の記憶に依存する 過大・過小申告がある
精度が高い	対象者の負担が大きい
対象者の負担が小さい 集団に用いやすい	誤差が生じやすい
比較的精度が高い	経済性、簡便性が非常に低い 時間がかかる

それぞれの調査法について
特徴と長所・短所を
しっかり覚えなくちゃ！

WORD **51** 公衆栄養活動

1	海軍の脚気対策は、森林太郎による。
2	1945年の東京都民栄養調査の実施は、連合国軍総司令部（GHQ）の指令による。
3	公衆栄養活動は、ヘルスプロモーション活動の一環として行われる。
4	公衆栄養活動では、ポピュレーションアプローチを重視する。
5	公衆栄養活動において、ハイリスクアプローチでは、対象を限定せずに集団全体への働きかけを行う。
6	公衆栄養活動におけるエンパワメントとは、地域の人々の結束力を示すものである。
7	公衆栄養活動におけるコミュニティオーガニゼーションは、自治体が主体となって行う。
8	地域の栄養改善業務の企画調整は、市町村（保健所設置市を除く）が実施する公衆栄養活動である。
9	地域住民に対する対人サービスは、市町村（保健所設置市を除く）が実施する公衆栄養活動である。
10	特定給食施設に対する指導は、市町村（保健所設置市を除く）が実施する公衆栄養活動である。
11	食生活改善推進員の育成は、市町村（保健所設置市を除く）が実施する公衆栄養活動である。
12	健康危機管理への対応は、市町村（保健所設置市を除く）が実施する公衆栄養活動である。
13	「避難所における食事提供の計画・評価のために当面の目標とする栄養の参照量」において、摂取不足を回避すべき栄養素として、炭水化物の摂取量が示されている。

☒	海軍の脚気対策は、高木兼寛による。（公衆　36-137）
○	1945年の東京都民栄養調査の実施は、連合国軍総司令部（GHQ）の指令による。（公衆　36-137）
○	公衆栄養活動は、ヘルスプロモーション活動の一環として行われる。（公衆　37-137）
○	公衆栄養活動では、ポピュレーションアプローチを重視する。（公衆　34-137）
☒	公衆栄養活動において、ポピュレーションアプローチでは、対象を限定せずに集団全体への働きかけを行う。（公衆　35-137）
☒	公衆栄養活動におけるエンパワメントとは、地域の人々が主体となり自己管理能力を獲得していく過程である。（公衆　37-137）
☒	公衆栄養活動におけるコミュニティオーガニゼーションは、地域住民が主体となって行う。（公衆　37-137）
○	地域の栄養改善業務の企画調整は、市町村（保健所設置市を除く）が実施する公衆栄養活動である。（公衆　34-141）
○	地域住民に対する対人サービスは、市町村（保健所設置市を除く）が実施する公衆栄養活動である。（公衆　34-141）
☒	特定給食施設に対する指導は、都道府県と保健所設置市および特別区が実施する公衆栄養活動である。（公衆　34-141）
○	食生活改善推進員の育成は、市町村（保健所設置市を除く）が実施する公衆栄養活動である。（公衆　34-141）
○	健康危機管理への対応は、市町村（保健所設置市を除く）が実施する公衆栄養活動である。（公衆　34-141）
☒	「避難所における食事提供の計画・評価のために当面の目標とする栄養の参照量」において、摂取不足を回避すべき栄養素として、エネルギー、たんぱく質、ビタミン B_1、ビタミン B_2、ビタミンCの摂取量が示されている。（公衆　38-152）

押さえておきたい
データ・トピック

●ここでは、試験に役立つ近年の統計数値や改正動向などの話題のトピック、そして応用力試験の過去問をサンプルにその解き方をまとめました。

●まずはじめに「ここが出る！ 基礎データ」と題して、試験でよく問われるデータを集めました。キーワード28の「統計調査」などとあわせて、目を通しておきましょう！

●続く「ここが出る！ 話題のトピック」では、今ホットな話題をピックアップ。今度の試験で出るかもしれないので、時間を見つけて頭に入れておくといいかも！

ここが出る！基礎データ

日本人の平均寿命、死亡率、傷病分類別通院者率、出生率

平均寿命の推移

	令和2年	令和3年	令和4年
男	81.56	81.47	81.05
女	87.71	87.57	87.09

（「簡易生命表」）

年齢調整死亡率の推移（人口千対）

	令和2年	令和3年	令和4年
男	13.3	13.6	14.4
女	7.2	7.4	7.9

※平成27年モデル人口で算出
（「人口動態統計」）

死因順位の推移

順位	令和2年	令和3年	令和4年
1	悪性新生物	悪性新生物	悪性新生物
2	心疾患	心疾患	心疾患
3	老衰	老衰	老衰
4	脳血管疾患	脳血管疾患	脳血管疾患

（「人口動態統計」）

疾患別の死亡率の推移（人口10万対）

疾患	令和2年	令和3年	令和4年
悪性新生物	306.6	310.7	316.1
心疾患	166.6	174.9	190.9
脳血管疾患	83.5	85.2	88.1
肺炎	63.6	59.6	60.7

（「人口動態統計」）

傷病分類別通院者率の順位

男

順位	平成28年	令和元年	令和4年
1	高血圧症	高血圧症	高血圧症
2	糖尿病	糖尿病	糖尿病
3	歯の病気	歯の病気	脂質異常症
4	眼の病気	眼の病気	眼の病気
5	腰痛症	脂質異常症	歯の病気

女

順位	平成28年	令和元年	令和4年
1	高血圧症	高血圧症	高血圧症
2	眼の病気	脂質異常症	脂質異常症
3	歯の病気	眼の病気	眼の病気
4	腰痛症	歯の病気	歯の病気
5	脂質異常症	腰痛症	腰痛症

（「国民生活基礎調査」）

悪性新生物の部位別死亡数の順位

男

順位	令和2年	令和3年	令和4年
1	肺	肺	肺
2	胃	大腸*	大腸*
3	大腸*	胃	胃
4	膵	膵	膵
5	肝	肝	肝

女

順位	令和2年	令和3年	令和4年
1	大腸*	大腸*	大腸*
2	肺	肺	肺
3	膵	膵	膵
4	乳房	乳房	乳房
5	胃	胃	胃

＊結腸と直腸S状結腸移行部および直腸

（「人口動態統計」）

悪性新生物の主な部位別死亡率の推移（人口10万対）

男

部位	令和2年	令和3年	令和4年
肺	88.7	89.3	90.6
大腸*	41.9	47.1	47.4
胃	46.3	45.6	44.7
膵	31.5	32.4	33.1
肝	27.1	26.7	26.5

女

部位	令和2年	令和3年	令和4年
大腸*	38.0	38.6	39.8
肺	35.2	36.3	36.5
膵	29.7	30.5	31.7
乳房	23.1	23.5	25.4
胃	22.9	22.9	22.7

＊結腸と直腸S状結腸移行部および直腸

（「人口動態統計」）

合計特殊出生率の推移

令和2年	令和3年	令和4年
1.33	1.30	1.26

（「人口動態統計」）

国民健康・栄養調査（令和元年）

※令和2年・令和3年は、新型コロナウイルス感染症の影響により調査中止。

運動習慣について

- 運動習慣のある者※の割合（20歳以上）は、男性33.4％、女性25.1％であり、この10年間でみると男性では有意な増減はなく、女性では減少傾向である。

※1回30分以上の運動を週2日以上実施し、1年以上継続している者。

- 日常生活における男性（20歳以上）の歩数の平均値は、6,793歩、女性（20歳以上）の歩数の平均値は5,832歩であり、この10年間でみると男女ともに有意な変化はみられない。

喫煙の状況について

- 現在習慣的に喫煙している者の割合は、16.7％である。性別でみると、男性27.1％、女性7.6％であり、男女ともにこの10年間で有意に減少している。

食料自給率（令和4年度）

カロリーベースの食料自給率：38%

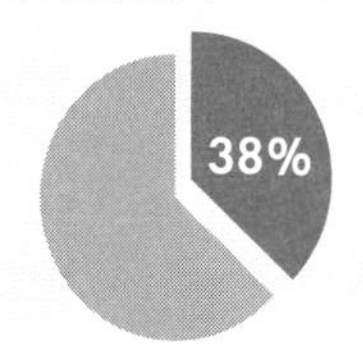

生産額ベースの食料自給率：58%

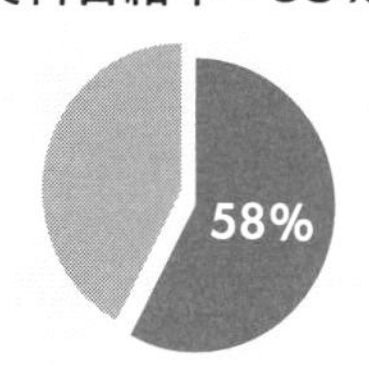

ここが出る！話題のトピック

令和6年度診療報酬・介護報酬改定

2年ごとに行われる診療報酬改定について、2024（令和6）年6月1日（一部4月1日）より適用される「診療報酬の算定方法の一部を改正する件」（令和6年厚生労働省告示第57号）等が公布されました。また、今年は3年ごとに行われる介護報酬改定の年でもあり、2024（令和6）年6月1日（一部4月1日）より適用される告示が公布されました。

栄養関係部分の主な変更点は以下の通りです。

＞改正の概要

■診療報酬

●生活に配慮した支援の強化や、入院前からの支援の強化の観点から、**入退院支援加算1・2**に関する要件が見直された。

●リハビリテーション、栄養管理および口腔管理の取組の推進として、専任の常勤の管理栄養士の病棟配置を要件とする**リハビリテーション・栄養・口腔連携体制加算**が新設された。

●中心静脈栄養が実施される患者の割合が増加している実態を踏まえ、療養病棟に入院中の患者に対し、新たに経腸栄養を開始した場合に算定可能な、**経腸栄養管理加算**が新設された。

●医療と介護における栄養情報の連携を推進する観点から、入院栄養食事指導料の**栄養情報管理加算**を廃止し、**栄養情報連携料**が新設された。

●食材料費や光熱費をはじめとする物価高騰を踏まえた対応として、**入院時食事療養費**が引き上げられた。

●小児医療の充実として、**小児緩和ケア診療加算**が新設された。この新設に伴い、緩和ケアを要する15歳未満の小児に対する栄養食事管理を行った場合に算定可能な**小児個別栄養食事管理加算**が新設された。

●生活習慣病に対する質の高い疾病管理を推進する観点から、**生活習慣病に係る医学管理料（200床未満の病院または診療所に限る）**の評価と要件が見直された。

●慢性腎臓病に対する重症化予防を推進する観点から、**慢性腎臓病の透析予防指導管理の評価**が新設された。

■介護報酬

●終末期等、細やかな栄養管理などのニーズに応じる観点から、一時的に頻回な介入が必要と医師が判断した場合に管理栄養士が追加訪問することが可能となるよう、**居宅療養管理指導の算定回数**が見直された。

●介護保険施設から居宅や介護保険施設、医療機関などへの退所者の栄養管理に関する情報連携の促進を目的に、厚生労働大臣が定める特別食を必要とする入所者または、低栄養状態にあると医師が判断した入所者に関し、介護保険施設の管理栄養士が入所者等の栄養管理に関する情報を、他の介護保険施設や医療機関等に提供することを評価する**退所時栄養情報連携加算**が新設された。

●栄養管理を必要とする利用者に切れ目なくサービスを提供する観点から、医療機関から介護保険施設への再入所者であって、特別食等を提供する必要がある利用者を算定対象（厚生労働大臣が定める特別食または嚥下調整食が必要な者）に加えることを目的に、**再入所時栄養連携加算**の対象が見直された。

健康日本21（第三次）

2023（令和5）年5月、厚生労働省は第5次国民健康づくり「健康日本21（第三次）」を推進するうえでの基本方針を公表しました。

厚生労働大臣は、健康増進法の規定に基づき、国民の健康の増進の総合的な推進を図るための基本的な方針を定めるものとされており、2023（令和5）年度末まで「健康日本21（第二次）」に取り組んできました。この最終評価を踏まえ、新たな視点の取り入れや主な目標を設定し、2024（令和6）年度から「健康日本21（第三次）」が開始されました。

＞ 概要

「全ての国民が健やかで心豊かに生活できる持続可能な社会の実現」というビジョン実現のため、①健康寿命の延伸・健康格差の縮小、②個人の行動と健康状態の改善、③社会環境の質の向上、④ライフコースアプローチを踏まえた健康づくり、の4つが基本的な方向となっている。

例えば②個人の行動と健康状態の改善では、栄養・食生活、身体活動・運動、休養・睡眠、飲酒、喫煙、歯・口腔の健康に関する生活習慣の改善（リスクファクターの低減）に加え、生活習慣の定着等によるがんや生活習慣病（NCDs：非感染性疾患）の発症予防、合併症の発症や症状の進展等の重症化予防に関し、引き続き取組みを進めていくこととしている。

健康に配慮した飲酒に関するガイドライン

2024（令和6）年2月、厚生労働省は健康に配慮した飲酒に関するガイドラインを策定しました。

＞ 策定の経緯

アルコール健康障害対策基本法（平成25年法律第109号）に基づき、アルコール健康障害対策の総合的かつ計画的な推進を図るために策定されたアルコール健康障害対策推進基本計画では、基本的施策として、飲酒に伴うリスクに関する知識の普及の推進を図るために、国民のそれぞれの状況に応じた適切な飲酒量・飲酒行動の判断に資する「飲酒ガイドライン」を作成することとされている。

厚生労働省が飲酒と健康に関する指針を策定するのは初めて。アルコール健康障害の発生を防止するため、国民一人ひとりがアルコールに関連する問題への関心と理解を深め、自らの予防に必要な注意を払って不適切な飲酒を減らすために活用されることを目的としている。

＞ ポイント

基礎疾患等がない20歳以上の成人を中心に、飲酒による身体等への影響について、年齢・性別・体質等による違いや、飲酒による疾病・行動に関するリスクなどを分かりやすく伝えている。その上で、考慮すべき飲酒量（純アルコール量）や配慮のある飲酒の仕方、飲酒の際に留意して欲しい事項（避けるべき飲酒等）を示している。

健康づくりのための身体活動・運動ガイド 2023

2024（令和 6）年 1 月、厚生労働省は健康づくりのための身体活動・運動ガイド 2023 を策定しました。

＞ 策定の経緯

「健康日本 21（第二次）最終評価」では、身体活動・運動分野の指標である「日常生活における歩数」、「運動習慣者の割合」のいずれについても、横ばいから減少傾向であり、その考えられる要因としては、機械化・自動化の進展や移動手段の発達等、生活環境の変化による歩行機会の減少や、運動を実施するための啓発・環境整備に向けた働きかけが不十分であったこと、などが策定の経緯として挙げられている。

健康日本 21（第三次）における身体活動・運動分野の取組の推進に役立てるため、「健康づくりのための身体活動基準 2013」を改定し、「健康づくりのための身体活動・運動ガイド 2023」を策定した。

＞ ポイント

ガイドでは、「成人」「こども」「高齢者」の対象者別の身体活動・運動の推奨事項、および身体活動・運動に係る参考情報についてまとめるとともに、ツールとしての使いやすさ等も考慮した構成となっている。

健康づくりのための睡眠ガイド2023

2024（令和6）年2月、厚生労働省は健康づくりのための睡眠ガイド2023を策定しました。

＞策定の経緯

これまで、平成15年度に「健康づくりのための睡眠指針～快適な睡眠のための7箇条～」が策定され、次いで平成26年度に「健康づくりのための睡眠指針2014」が策定された。これらの指針を活用して健康日本21（第二次）における休養分野の取組が進められてきたが、「健康日本21（第二次）最終評価」では、休養分野の指標である「睡眠による休養を十分とれていない者の割合」は、D（悪化している）と評価された。

そこで休養・睡眠分野の取組をさらに推進するため、健康づくりに寄与する睡眠の特徴を国民にわかりやすく伝え、より多くの国民が良い睡眠を習慣的に維持するために必要な生活習慣を身につける手立てとなることを目指し、「健康づくりのための睡眠指針2014」を見直し、「健康づくりのための睡眠ガイド2023」を策定した。

＞ポイント

「健康づくりのための睡眠指針2014」との大きな違いは、令和6年度から開始する「健康日本21（第三次）」において目標として掲げられた適正な睡眠時間と睡眠休養感の確保に向けた推奨事項を、「成人」「こども」「高齢者」の年代別にとりまとめている点である。

付録（過去問解説集頁参照表）

本書で学習した内容につきましては、弊社刊『2025 管理栄養士国家試験過去問解説集＜第 34 回～第 38 回＞ 5 年分徹底解説』（右図参照）に過去問の詳細な解説が掲載されています。以下に、本書の問題が過去問解説集のどの問題にあたるかを記した頁参照表を掲載します。学習の一助にしていただけると幸いです。

1　食品・栄養・健康の法令と政策

問題番号	参照先
1	208 頁 22
2	209 頁 23
3	209 頁 23
4	208 頁 22
5	14 頁 8
6	210 頁 29
7	210 頁 29
8	14 頁 8
9	15 頁 11
10	41 頁 142
11	71 頁 25
12	71 頁 25
13	75 頁 40
14	72 頁 31
15	210 頁 28
16	210 頁 28
17	210 頁 28
18	14 頁 8
19	41 頁 144
20	41 頁 144
21	41 頁 144
22	41 頁 144
23	211 頁 35
24	211 頁 35
25	211 頁 35
26	114 頁 38
27	114 頁 38
28	114 頁 38
29	114 頁 37
30	114 頁 37
31	209 頁 26
32	209 頁 26
33	41 頁 141
34	209 頁 25
35	209 頁 25
36	209 頁 25
37	41 頁 140
38	208 頁 19
39	208 頁 20
40	208 頁 20
41	208 頁 20
42	208 頁 19
43	208 頁 19
44	208 頁 21
45	220 頁 2
46	221 頁 6
47	220 頁 2
48	220 頁 2
49	220 頁 2
50	44 頁 154
51	221 頁 6
52	41 頁 140
53	222 頁 11
54	222 頁 11
55	224 頁 18

2　医療・介護の制度と法律

問題番号	参照先
1	15 頁 14
2	15 頁 14
3	15 頁 14
4	77 頁 51
5	15 頁 14
6	76 頁 49
7	76 頁 48
8	15 頁 13
9	15 頁 13
10	15 頁 13
11	15 頁 13
12	15 頁 13
13	76 頁 47
14	76 頁 47
15	79 頁 61
16	79 頁 61
17	79 頁 60
18	79 頁 60
19	79 頁 60
20	78 頁 59
21	78 頁 59
22	79 頁 60
23	44 頁 155
24	44 頁 155
25	44 頁 155
26	44 頁 155
27	176 頁 3
28	176 頁 3
29	35 頁 111
30	35 頁 111
31	176 頁 2
32	176 頁 2
33	176 頁 2
34	176 頁 2
35	176 頁 2
36	176 頁 4
37	176 頁 4
38	176 頁 4
39	35 頁 111
40	35 頁 111
41	35 頁 111

3　保健・福祉制度と法律

問題番号	参照先
1	78 頁 58
2	78 頁 58
3	221 頁 8
4	221 頁 8
5	221 頁 8
6	77 頁 52
7	77 頁 52
8	77 頁 52
9	14 頁 9
10	78 頁 57
11	78 頁 57
12	78 頁 57
13	78 頁 57
14	78 頁 57
15	208 頁 18
16	15 頁 10
17	15 頁 10
18	73 頁 33
19	73 頁 33
20	73 頁 34
21	78 頁 55
22	78 頁 55
23	77 頁 54
24	77 頁 54
25	77 頁 53
26	77 頁 54
27	77 頁 53
28	209 頁 27
29	16 頁 16
30	16 頁 16
31	16 頁 16
32	16 頁 16
33	16 頁 16
34	217 頁 61
35	217 頁 61
36	217 頁 62
37	217 頁 61
38	16 頁 15
39	16 頁 15

4　国際保健

問題番号	参照先
1	13 頁 1
2	40 頁 137
3	40 頁 137
4	42 頁 145
5	42 頁 145
6	72 頁 29
7	206 頁 13
8	71 頁 24
9	71 頁 24
10	42 頁 145
11	211 頁 36
12	212 頁 38
13	211 頁 37
14	212 頁 38
15	211 頁 36
16	42 頁 145
17	211 頁 37
18	79 頁 64
19	206 頁 13
20	42 頁 145
21	207 頁 15
22	206 頁 13
23	206 頁 13

5 環境と健康

6 消化器系

7 循環器系

8 腎・尿路系

9 内分泌系

問題番号	参照先
5	192頁 70
6	18頁 31
7	18頁 31
8	192頁 70
9	95頁 65
10	39頁 131
11	39頁 131
12	39頁 131
13	39頁 131
14	192頁 70
15	95頁 65
16	192頁 71
17	18頁 31
18	95頁 66
19	17頁 21
20	18頁 31
21	17頁 21
22	17頁 21
23	18頁 31
24	95頁 62
25	90頁 38
26	95頁 62
27	93頁 55
28	95頁 66
29	95頁 62
30	93頁 55
31	99頁 84
32	98頁 80
33	17頁 21
34	90頁 37
35	133頁 16
36	131頁 8
37	90頁 37
38	89頁 36
39	90頁 37
40	90頁 38
41	90頁 37
42	86頁 21
43	133頁 15
44	90頁 38
45	90頁 38
46	89頁 36
47	25頁 69
48	90頁 38
49	25頁 69
50	25頁 69
51	130頁 4
52	25頁 69
53	90頁 37

10 神経系

問題番号	参照先
1	18頁 32
2	96頁 67
3	18頁 32
4	96頁 67
5	18頁 32
6	96頁 67
7	92頁 51
8	96頁 67
9	131頁 5
10	18頁 32
11	91頁 44
12	98頁 77
13	86頁 23
14	18頁 32
15	96頁 68
16	96頁 68
17	96頁 68
18	96頁 68
19	97頁 72
20	93頁 54
21	86頁 21
22	96頁 69
23	96頁 69
24	91頁 42
25	192頁 72
26	192頁 72
27	192頁 72
28	96頁 70
29	96頁 70
30	96頁 70
31	157頁 54

11 呼吸器系

問題番号	参照先
1	19頁 33
2	97頁 72
3	87頁 24
4	97頁 71
5	97頁 72
6	19頁 33
7	97頁 71
8	19頁 33
9	19頁 33
10	19頁 33
11	97頁 72
12	97頁 73
13	97頁 72
14	97頁 74
15	97頁 75
16	194頁 78
17	19頁 34
18	194頁 78
19	194頁 79
20	194頁 79
21	194頁 79
22	19頁 34
23	19頁 34
24	97頁 74
25	19頁 34
26	19頁 34
27	97頁 74

12 運動器系

問題番号	参照先
1	75頁 40
2	19頁 36
3	19頁 36
4	99頁 81
5	98頁 79
6	98頁 78
7	19頁 36
8	98頁 79
9	75頁 40
10	98頁 79
11	98頁 78
12	19頁 36
13	98頁 79
14	195頁 84
15	195頁 84
16	75頁 40
17	19頁 35
18	98頁 78
19	98頁 78
20	19頁 35
21	98頁 78
22	19頁 35
23	19頁 35
24	82頁 1
25	157頁 55
26	98頁 76
27	19頁 35
28	30頁 95
29	30頁 95
30	30頁 95
31	30頁 95
32	30頁 95
33	157頁 57
34	157頁 57
35	145頁 5
36	28頁 82
37	30頁 96
38	30頁 96

13 生体エネルギーと代謝

問題番号	参照先
1	130頁 2
2	130頁 2
3	130頁 2
4	84頁 13
5	16頁 19
6	85頁 15
7	85頁 16
8	85頁 16
9	85頁 16
10	85頁 16
11	85頁 16
12	98頁 77

問題番号	参照先
13	16頁 19
14	84頁 13
15	16頁 19
16	84頁 14
17	16頁 19
18	140頁 47
19	140頁 48
20	178頁 10
21	140頁 48
22	141頁 51
23	141頁 51
24	141頁 51
25	141頁 51
26	141頁 52
27	141頁 53
28	141頁 53
29	141頁 53
30	141頁 51
31	141頁 52
32	141頁 52
33	142頁 55
34	142頁 55
35	157頁 57
36	142頁 55

14　免疫・アレルギー

問題番号	参照先
1	102頁 95
2	100頁 88
3	102頁 96
4	100頁 88
5	86頁 21
6	86頁 21
7	101頁 93
8	102頁 97
9	102頁 96
10	101頁 93
11	20頁 40
12	20頁 40
13	20頁 40
14	102頁 95
15	20頁 40
16	101頁 93
17	102頁 95
18	102頁 95
19	102頁 96
20	102頁 96
21	102頁 96
22	195頁 87
23	195頁 87
24	195頁 87
25	103頁 100
26	20頁 41
27	103頁 100
28	20頁 41
29	102頁 99
30	20頁 41
31	102頁 97
32	20頁 41
33	20頁 41

15　糖質、食物繊維

問題番号	参照先
1	134頁 18
2	134頁 18
3	134頁 18
4	134頁 18
5	83頁 7
6	83頁 7
7	26頁 70
8	83頁 7
9	85頁 19
10	83頁 7
11	83頁 5
12	17頁 25
13	122頁 73
14	122頁 73
15	85頁 19
16	26頁 71
17	16頁 20
18	85頁 19
19	133頁 14
20	133頁 14
21	133頁 15
22	157頁 57
23	133頁 14
24	133頁 13
25	133頁 13
26	133頁 13
27	16頁 20
28	133頁 13
29	85頁 18
30	85頁 17
31	133頁 16
32	130頁 2
33	28頁 83

16　脂質

問題番号	参照先
1	110頁 21
2	110頁 21
3	20頁 43
4	110頁 21
5	110頁 21
6	83頁 8
7	16頁 20
8	16頁 18
9	16頁 18
10	83頁 8
11	83頁 8
12	135頁 25
13	86頁 20
14	86頁 20
15	135頁 25
16	16頁 18
17	135頁 25
18	135頁 24
19	110頁 24
20	86頁 20
21	134頁 21
22	26頁 72
23	134頁 21
24	86頁 20
25	26頁 73
26	26頁 73
27	26頁 73
28	26頁 73
29	26頁 73
30	134頁 21
31	134頁 20
32	134頁 20
33	134頁 20
34	134頁 20
35	134頁 20
36	26頁 72
37	134頁 22
38	26頁 72
39	26頁 72

17　たんぱく質・アミノ酸

問題番号	参照先
1	110頁 23
2	110頁 23
3	20頁 43
4	110頁 23
5	110頁 23
6	110頁 23
7	83頁 5
8	16頁 18
9	83頁 6
10	26頁 70
11	136頁 27
12	26頁 74
13	85頁 19
14	85頁 19
15	16頁 18
16	85頁 18
17	83頁 5
18	26頁 74
19	83頁 6
20	136頁 30
21	26頁 74
22	136頁 28
23	136頁 29
24	26頁 71
25	26頁 74
26	136頁 28
27	136頁 31
28	136頁 29
29	136頁 29
30	136頁 29
31	136頁 30
32	145頁 5

33………136頁 31
34………136頁 31
35………136頁 31
36………136頁 31
37………130頁 2
38………36頁 119

18 ビタミン・ミネラル

問題番号	参照先
1	137頁 34
2	21頁 47
3	137頁 34
4	138頁 40
5	112頁 27
6	137頁 36
7	182頁 30
8	26頁 71
9	138頁 40
10	138頁 37
11	182頁 30
12	27頁 77
13	138頁 38
14	138頁 38
15	21頁 47
16	18頁 28
17	138頁 40
18	27頁 77
19	21頁 47
20	27頁 77
21	182頁 29
22	138頁 39
23	27頁 77
24	182頁 30
25	27頁 77
26	138頁 38
27	21頁 47
28	138頁 39
29	137頁 36
30	182頁 30
31	21頁 47
32	137頁 35
33	137頁 35
34	182頁 30
35	27頁 76
36	112頁 27
37	27頁 76
38	137頁 35
39	138頁 40
40	26頁 70
41	139頁 45
42	139頁 45
43	139頁 45
44	139頁 44
45	27頁 79
46	139頁 45
47	139頁 42
48	27頁 79
49	139頁 42
50	27頁 79
51	139頁 43
52	139頁 43
53	182頁 29
54	130頁 1
55	27頁 78
56	27頁 78
57	27頁 78
58	139頁 43
59	139頁 43
60	139頁 42
61	27頁 79
62	140頁 49

19 食品

問題番号	参照先
1	21頁 46
2	21頁 46
3	21頁 46
4	21頁 46
5	21頁 46
6	112頁 29
7	107頁 8
8	20頁 43
9	112頁 29
10	107頁 8
11	109頁 17
12	109頁 18
13	109頁 18
14	109頁 17
15	20頁 44
16	20頁 44
17	20頁 44
18	20頁 44
19	108頁 13
20	108頁 13
21	109頁 16
22	109頁 16
23	109頁 16
24	109頁 15
25	109頁 15
26	109頁 15
27	109頁 15
28	127頁 95
29	109頁 15
30	127頁 95
31	21頁 45
32	110頁 20
33	110頁 20
34	110頁 20
35	110頁 20
36	109頁 19
37	21頁 45
38	110頁 20
39	21頁 45
40	109頁 19
41	110頁 22
42	112頁 29

20 栄養教育

問題番号	参照先
1	170頁 36
2	170頁 36
3	170頁 36
4	170頁 36
5	163頁 6
6	164頁 10
7	166頁 19
8	166頁 19
9	166頁 20
10	166頁 20
11	166頁 20
12	168頁 27
13	34頁 105
14	169頁 32
15	169頁 31
16	32頁 98
17	34頁 110
18	34頁 110
19	34頁 110
20	34頁 109

21 給食の安全・衛生

問題番号	参照先
1	237頁 71
2	237頁 71
3	235頁 62
4	235頁 62
5	235頁 62
6	235頁 64
7	235頁 64
8	235頁 64
9	235頁 63
10	236頁 66
11	236頁 66
12	235頁 63
13	236頁 69
14	236頁 69
15	236頁 67
16	236頁 67
17	48頁 170

22 給食経営管理

問題番号	参照先
1	223頁 14
2	46頁 163
3	226頁 25
4	226頁 25
5	232頁 48
6	231頁 47
7	45頁 158
8	45頁 158
9	48頁 169
10	224頁 19

11………… 224頁 19
12………… 224頁 19
13………… 224頁 19
14………… 224頁 20
15………… 224頁 20
16………… 224頁 20
17………… 224頁 20
18…………45頁 160
19………… 233頁 54
20………… 233頁 54
21………… 232頁 52
22………… 232頁 50
23………… 232頁 51
24………… 232頁 50
25………… 232頁 50
26………… 232頁 50
27………… 232頁 50
28………… 233頁 54
29………… 226頁 28
30………… 223頁 15
31………… 223頁 15
32………… 230頁 42
33………… 231頁 43
34………… 231頁 43
35………… 231頁 43
36………… 230頁 42
37…………45頁 161
38………… 230頁 42
39………… 230頁 41
40…………46頁 162

23 臨床検査・治療法・疾病予防

問題番号　参照先

1 …………145頁 5
2 …………28頁 82
3 …………28頁 82
4 …………145頁 5
5 …………145頁 7
6 …………88頁 29
7 …………88頁 29
8 …………88頁 31
9 …………88頁 32
10…………88頁 32
11…………88頁 32
12…………89頁 35
13…………88頁 30
14…………89頁 34
15…………89頁 35
16…………88頁 31
17…………89頁 34
18…………17頁 23
19…………17頁 23
20…………17頁 23
21…………89頁 35
22…………64頁 2
23…………64頁 2
24…………64頁 2
25…………64頁 2

24 感染症

問題番号　参照先

1 ………103頁 103
2 ………103頁 103
3 ………103頁 103
4 …………75頁 42
5 ………103頁 104
6 …………20頁 42
7 ………103頁 103
8 …………75頁 43
9 …………75頁 43
10…………75頁 43
11…………75頁 43
12…………75頁 43
13………103頁 104
14…………20頁 42
15………103頁 104
16…………20頁 42
17…………75頁 41
18…………20頁 42
19…………20頁 42

25 血液

問題番号　参照先

1 ………… 140頁 50
2 ………… 140頁 50
3 …………92頁 49
4 …………92頁 50
5 …………92頁 49
6 …………92頁 48
7 …………92頁 49
8 …………92頁 49
9 …………92頁 49
10…………92頁 50
11…………92頁 51
12…………92頁 50
13…………92頁 50
14…………92頁 51
15………… 100頁 87
16………… 100頁 86
17………… 100頁 87
18………… 100頁 88
19………… 100頁 86
20………… 100頁 86
21…………20頁 39
22…………20頁 39
23………… 100頁 89
24…………88頁 29
25………… 140頁 50
26…………19頁 38
27…………19頁 38
28…………19頁 38
29………… 101頁 91
30…………19頁 38
31…………19頁 38
32…………30頁 96
33…………20頁 39
34…………20頁 39
35………… 101頁 91
36………… 101頁 91
37…………20頁 39
38………… 101頁 91

26 人体の構成と核酸の構造・機能

問題番号　参照先

1 …………16頁 17
2 …………82頁 4
3 ………… 140頁 50
4 ………… 140頁 48
5 ………… 140頁 50
6 …………145頁 5
7 ………… 140頁 48
8 …………27頁 80
9 …………27頁 80
10………… 139頁 46
11………… 140頁 47
12…………84頁 11
13…………84頁 11
14…………84頁 11
15…………84頁 11
16…………84頁 11
17…………84頁 12
18…………84頁 12
19…………82頁 3
20…………84頁 12
21…………82頁 3
22…………16頁 17
23…………82頁 3
24…………16頁 17
25…………16頁 20
26…………84頁 14
27…………16頁 17
28…………16頁 17
29…………82頁 1
30…………82頁 1
31…………84頁 10
32…………130頁 3
33…………130頁 3

27 肥満・代謝疾患

問題番号　参照先

1 …………74頁 38
2 …………74頁 38
3 …………74頁 38
4 …………90頁 39
5 …………90頁 39
6 …………90頁 39

7 …… 90頁 39
8 …… 40頁 136
9 …… 198頁 98
10 …… 40頁 136
11 …… 40頁 136
12 …… 90頁 40
13 …… 198頁 98
14 …… 198頁 98
15 …… 198頁 98
16 …… 185頁 41
17 …… 185頁 40
18 …… 185頁 42
19 …… 185頁 40
20 …… 185頁 42
21 …… 185頁 40
22 …… 185頁 42
23 …… 185頁 42
24 …… 90頁 40
25 …… 198頁 101
26 …… 198頁 101
27 …… 198頁 101
28 …… 17頁 24
29 …… 17頁 24
30 …… 17頁 24
31 …… 17頁 24
32 …… 184頁 36
33 …… 184頁 36

28 統計調査

問題番号 参照先

1 …… 215頁 51
2 …… 77頁 54
3 …… 13頁 4
4 …… 13頁 4
5 …… 13頁 4
6 …… 66頁 9
7 …… 215頁 51
8 …… 66頁 9
9 …… 66頁 9
10 …… 68頁 14
11 …… 68頁 14
12 …… 73頁 34
13 …… 66頁 11
14 …… 66頁 11
15 …… 69頁 16
16 …… 69頁 17
17 …… 215頁 51
18 …… 44頁 150

29 疫学・スクリーニング

問題番号 参照先

1 …… 70頁 22
2 …… 70頁 22
3 …… 144頁 3
4 …… 144頁 3
5 …… 144頁 3
6 …… 69頁 18
7 …… 69頁 18
8 …… 69頁 18
9 …… 69頁 18
10 …… 69頁 18
11 …… 69頁 19
12 …… 69頁 19
13 …… 14頁 6
14 …… 14頁 6
15 …… 14頁 6

30 日本人の食事摂取基準

問題番号 参照先

1 …… 208頁 19
2 …… 146頁 11
3 …… 148頁 19
4 …… 147頁 15
5 …… 148頁 16
6 …… 146頁 10
7 …… 146頁 9
8 …… 146頁 9
9 …… 146頁 10
10 …… 146頁 9
11 …… 146頁 10
12 …… 147頁 12
13 …… 29頁 87
14 …… 29頁 87
15 …… 29頁 87
16 …… 148頁 17
17 …… 153頁 38
18 …… 29頁 86
19 …… 29頁 86
20 …… 29頁 86
21 …… 216頁 57
22 …… 216頁 57
23 …… 216頁 57
24 …… 216頁 57

31 食中毒、食品による感染・有害物質

問題番号 参照先

1 …… 116頁 44
2 …… 22頁 51
3 …… 116頁 47
4 …… 22頁 52
5 …… 22頁 52
6 …… 115頁 43
7 …… 116頁 45
8 …… 116頁 44
9 …… 22頁 51
10 …… 115頁 42
11 …… 116頁 44
12 …… 116頁 45
13 …… 116頁 44
14 …… 22頁 51
15 …… 115頁 42
16 …… 116頁 45
17 …… 116頁 45
18 …… 22頁 51
19 …… 22頁 51
20 …… 115頁 42
21 …… 116頁 46
22 …… 116頁 46
23 …… 116頁 45
24 …… 117頁 52
25 …… 117頁 52
26 …… 117頁 52
27 …… 117頁 49
28 …… 117頁 49
29 …… 117頁 49
30 …… 117頁 49
31 …… 22頁 53
32 …… 117頁 50
33 …… 117頁 50
34 …… 22頁 53
35 …… 22頁 53
36 …… 117頁 50
37 …… 118頁 55
38 …… 118頁 55
39 …… 118頁 55
40 …… 120頁 64
41 …… 120頁 64
42 …… 120頁 64
43 …… 22頁 54
44 …… 22頁 54
45 …… 22頁 54

32 特別用途食品・保健機能食品

問題番号 参照先

1 …… 208頁 18
2 …… 120頁 66
3 …… 121頁 67
4 …… 23頁 58
5 …… 23頁 58
6 …… 122頁 71
7 …… 122頁 71
8 …… 122頁 71
9 …… 122頁 71
10 …… 23頁 58
11 …… 23頁 58
12 …… 120頁 65
13 …… 121頁 67
14 …… 121頁 67
15 …… 120頁 66
16 …… 120頁 65
17 …… 121頁 67
18 …… 121頁 68
19 …… 121頁 69
20 …… 121頁 68
21 …… 121頁 68
22 …… 121頁 69

33 公衆栄養マネジメント

問題番号	参照先
1	215頁 50
2	214頁 49
3	214頁 49
4	215頁 50
5	216頁 58
6	216頁 58
7	216頁 58
8	216頁 58
9	216頁 58

34 妊娠期・授乳期

問題番号	参照先
1	29頁 88
2	29頁 88
3	29頁 88
4	29頁 88
5	150頁 24
6	150頁 24
7	150頁 24
8	150頁 26
9	150頁 26
10	151頁 27
11	151頁 27
12	99頁 85
13	151頁 31
14	151頁 27
15	151頁 28
16	151頁 28
17	151頁 30
18	151頁 30
19	151頁 30
20	151頁 29
21	151頁 29

35 新生児期・乳児期

問題番号	参照先
1	152頁 34
2	152頁 34
3	152頁 34
4	149頁 23
5	152頁 32
6	152頁 33
7	29頁 89
8	29頁 89
9	29頁 89
10	29頁 89
11	29頁 89
12	152頁 32
13	152頁 35
14	29頁 90
15	29頁 90
16	78頁 56

36 幼児期・学童期・思春期

問題番号	参照先
1	153頁 40
2	153頁 39
3	153頁 40
4	29頁 91
5	29頁 91
6	29頁 91
7	29頁 91
8	149頁 22
9	149頁 22
10	29頁 91
11	153頁 37
12	153頁 40
13	153頁 40
14	153頁 39
15	153頁 39
16	153頁 38
17	14頁 9
18	153頁 38
19	153頁 39

37 更年期・高齢期

問題番号	参照先
1	30頁 93
2	155頁 46
3	155頁 46
4	155頁 45
5	155頁 46
6	155頁 45
7	155頁 45
8	30頁 93
9	30頁 93
10	155頁 48
11	30頁 94
12	30頁 94
13	30頁 94
14	30頁 94
15	30頁 94
16	149頁 23
17	156頁 50
18	156頁 49
19	156頁 49
20	155頁 47
21	156頁 49
22	156頁 49
23	156頁 49
24	149頁 23
25	39頁 135
26	157頁 54
27	39頁 135
28	39頁 135
29	157頁 54

38 栄養補給法

問題番号	参照先
1	179頁 16
2	179頁 16
3	179頁 16
4	179頁 16
5	179頁 17
6	178頁 12
7	178頁 13
8	178頁 12
9	197頁 96
10	197頁 96
11	197頁 96
12	178頁 12
13	179頁 17
14	35頁 115

39 炎症と腫瘍

問題番号	参照先
1	17頁 22
2	87頁 26
3	17頁 22
4	17頁 22
5	87頁 27
6	87頁 26
7	89頁 35
8	103頁 101
9	17頁 26
10	17頁 26
11	91頁 45
12	91頁 45
13	19頁 37
14	19頁 37
15	19頁 37
16	19頁 37
17	99頁 82
18	99頁 82
19	95頁 66
20	72頁 28
21	196頁 89
22	196頁 89
23	196頁 89
24	196頁 89
25	87頁 25
26	87頁 25
27	87頁 26
28	87頁 25
29	17頁 22

40 国民健康・栄養調査

問題番号	参照先
1	210頁 30
2	210頁 31
3	41頁 143
4	210頁 31
5	210頁 31
6	41頁 143
7	210頁 32
8	41頁 143
9	72頁 28
10	15頁 11

41 薬の作用

問題番号	参照先
1	181頁 23
2	38頁 127
3	181頁 23
4	181頁 23
5	180頁 22
6	181頁 23
7	180頁 22
8	180頁 21
9	180頁 21
10	180頁 22
11	181頁 23
12	184頁 38
13	185頁 39
14	185頁 39
15	185頁 39
16	185頁 39
17	184頁 38
18	187頁 50
19	182頁 27
20	180頁 21
21	180頁 21
22	180頁 21

42 食品の機能・評価

問題番号	参照先
1	113頁 34
2	25頁 66
3	25頁 66
4	25頁 66
5	25頁 66
6	112頁 31
7	112頁 31
8	22頁 49
9	22頁 49
10	22頁 49
11	22頁 49
12	22頁 49
13	108頁 10
14	108頁 10
15	22頁 50
16	20頁 44
17	108頁 12
18	127頁 96
19	127頁 96
20	127頁 96
21	127頁 96
22	127頁 96
23	112頁 28
24	112頁 30
25	112頁 30
26	112頁 30
27	112頁 30
28	24頁 63
29	24頁 63
30	24頁 63
31	24頁 63

43 食品の変質

問題番号	参照先
1	115頁 41
2	115頁 41
3	115頁 41
4	22頁 50
5	22頁 50
6	115頁 40
7	115頁 39
8	115頁 41
9	118頁 55
10	22頁 50
11	108頁 10
12	108頁 10

44 食品の表示

問題番号	参照先
1	119頁 60
2	120頁 63
3	119頁 61
4	23頁 56
5	23頁 56
6	23頁 56
7	120頁 63
8	119頁 62
9	120頁 63
10	119頁 61
11	120頁 63
12	120頁 63

45 食品添加物

問題番号	参照先
1	118頁 58
2	118頁 58
3	118頁 56
4	114頁 37
5	23頁 56
6	119頁 62
7	118頁 58
8	119頁 62
9	118頁 58
10	118頁 58
11	118頁 57
12	23頁 55
13	118頁 57
14	23頁 55
15	118頁 56
16	23頁 55
17	23頁 55
18	23頁 55
19	119頁 59
20	118頁 57

46 食品の保存・容器

問題番号	参照先
1	124頁 81
2	124頁 80
3	24頁 62
4	24頁 62
5	112頁 28
6	112頁 28
7	112頁 28
8	24頁 62
9	124頁 82
10	124頁 81
11	124頁 80
12	124頁 82
13	124頁 84
14	124頁 83
15	125頁 85
16	125頁 85
17	24頁 62
18	22頁 50

47 食品加工

問題番号	参照先
1	123頁 75
2	123頁 75
3	107頁 5
4	107頁 5
5	123頁 76
6	107頁 5
7	107頁 5
8	123頁 75
9	123頁 76
10	122頁 72
11	122頁 72
12	107頁 8
13	122頁 72
14	127頁 95
15	24頁 61
16	24頁 61

48 調理・配膳

49 食料需給表・食料問題

50 食事摂取量の測定・評価

51 公衆栄養活動

■本書に関する訂正情報等について

弊社ホームページ（下記URL）にて随時お知らせいたします。
https://www.chuohoki.co.jp/foruser/nutrition/

■本書へのご質問について

下記のURLから「お問い合わせフォーム」にご入力ください。
https://www.chuohoki.co.jp/contact/

2025管理栄養士国家試験
よく出るワード別一問一答――出るトコ徹底分析

2024年9月10日　発行

編　集　中央法規管理栄養士受験対策研究会
発行者　荘村明彦
発行所　中央法規出版株式会社
〒110-0016　東京都台東区台東3-29-1　中央法規ビル
TEL　03-6387-3196
https://www.chuohoki.co.jp/
印刷・製本　株式会社太洋社
本文・装幀デザイン 前付けDTP　二ノ宮匡（ニクスインク）
まんが・イラスト　すぎやまえみこ

定価はカバーに表示してあります。

ISBN978-4-8243-0090-4

落丁本・乱丁本はお取り替えいたします。

A090